4€ JP A1
D0610775

La vraie Parisienne

Du même auteur

Trois jours à Oran, Stock, 2014 ; J'ai lu, 2015, suivi de *Le désir et la peur*

Nation Pigalle, roman, Stock, 2011 ; J'ai lu, 2014

Le Prisonnier, roman, Stock, 2009 ; J'ai lu, 2011

Pour les siècles des siècles, nouvelles, Stock, 2008 ; J'ai lu, 2009

Marilyn Monroe, Folio Biographies, 2007

Manolete : Le calife foudroyé, Ramsay, 2005 ; Ramsay poche, 2007 ; Au Diable Vauvert, 2010 (Prix de la Biographie de la ville d'Hossegor 2006)

Seule au rendez-vous, roman, Robert Laffont, 2005 (Prix du Récit biographique 2005)

Un coup de corne fut mon premier baiser, roman, Ramsay, 1998

ANNE PLANTAGENET

La vraie Parisienne

NOUVELLES

J'ai lu

www.jailu.com

Caroline

Aujourd'hui, quand elle en parle, elle dit que tout est de la faute de Stéphane. C'est lui qui a insisté. Lui qui n'arrêtait pas de répéter : « Depuis qu'on habite à Paris, on n'a jamais invité mes confrères à dîner. Pourquoi tu ne veux pas ? Tu as honte de l'appartement ? » Il affirmait : « Tu sais ce sont des gens comme nous, très simples, il n'y a aucun enjeu, ils ne vont pas nous juger. Eux aussi ils louent des deux-pièces et n'ont pas de chambre d'amis. C'est comme ça ici, vu le prix du mètre carré, on est tous logés à la même enseigne. »

Ou encore : « C'est à cause du quartier ? Si c'est le cas tu as tort, à part des émirs personne ne vit dans l'île Saint-Louis. Barbès, c'est devenu branché à mort. »

Ou enfin : « Si tu veux, je préparerai le dessert, crème renversée au caramel. » Etc. Pendant des semaines, il ne lui avait laissé aucun répit. Du moins, c'est ce qu'elle prétend lorsqu'elle raconte l'histoire maintenant. Mais je sais que ce n'est pas toute la vérité. Je la connais bien, Caro, je détecte quand elle se dérobe. Elle trouvait toujours un prétexte pour reporter. Ce qui l'angoissait, ce n'était pas ce qu'allaient penser les « confrères » de Stéphane de leurs meubles Ikea ou de la composition du menu. Ce qui l'angoissait, elle me l'a avoué ensuite avec un soulagement jubilatoire, c'était une certaine CHLOÉ, qui dirigeait le cabinet d'avocats associés où travaillait Stéphane, entré là d'abord comme stagiaire et devenu jeune collaborateur. Elle avait confirmé qu'elle viendrait, et Stéphane, déjà éperdu de reconnaissance, n'en pouvait plus de joie. « C'est incroyable, c'est fou, tu ne te rends sans doute pas bien compte, tu ne mesures pas », ressassait-il. L'honneur qu'elle leur faisait, la Chloé. Caroline se rendait surtout compte qu'il parlait d'elle tout le temps, comme ceux qui s'arrangent en permanence pour placer dans une phrase le nom d'une personne qu'ils admirent, qu'ils sont fiers de connaître, ou dont ils sont secrètement amoureux. On appelle ça le *name dropping*, je crois.

Caroline ne supportait pas les filles qui s'appellent Chloé.

Elle l'imaginait déjà : la vraie Parisienne, sûre d'elle, hautaine, mi-Marion Cotillard mi-Charlotte Gainsbourg, grande, la frange qui ne rebique pas, filiforme, pimbêche, 48 kg, 1,73 m. Le genre de fille qui arrive à vous faire croire que la tong, c'est le string du pied. Autrement dit canon, sexy, piquante, spirituelle, le bon goût incarné, un fantasme pour la terre entière. Et elle, à côté, s'efforçant de donner le change, de bien fermer les « o », de ne pas rire trop fort, jusqu'au moment où la garce lui lancerait : « C'est tellement mignon cet accent du Sud, j'adore, on entend tout de suite les cigales. » Alors Caroline serait obligée de lui adresser un grand sourire en réprimant (mal) l'envie démente de lui faire avaler son sac à main, fermoir doré compris. Depuis, on en a souvent débattu toutes les deux, elle reconnaît qu'elle faisait à l'époque un complexe par rapport à un modèle fantasmé, à la Parisienne des magazines. Elle se sentait en permanence *comparée*. Elle se croyait plus forte et tout à coup ça s'effondrait pour une broutille, une remarque, un regard narquois. Brusquement, c'était comme si elle revenait des années en arrière, quand elle avait débarqué dans la capitale pour rejoindre Stéphane, avec le sentiment dégradant d'avoir des siècles de retard dans tous les domaines, d'atterrir d'une planète moins évoluée. Soudain c'était l'humiliation, le masque tombait, elle se sentait percée à jour. Elle entendait des voix lui murmurer : « Tu peux faire tous les efforts que tu veux, passer des heures devant tes placards, t'examiner scrupuleusement de la tête aux pieds avant de sortir, éplucher toute la presse féminine pour traquer les nouvelles tendances, l'expo à ne pas manquer, la *place to go*, le *must have*, le *it* quelque chose, ma pauvre fille, tu sens la province à plein nez, c'est comme avec les cheveux, malgré toutes les couleurs possibles et imaginables, les soins constants, la racine, ça ressort toujours. »

La Chloé, elle sera en jupe, Caroline en est sûre. Ces filles-là, elles ont des jambes interminables, galbées, épilées, impeccablement hâlées, même en hiver, alors elles les exhibent tout le temps. Caroline admet qu'elle ferait pareil à leur place mais elle les déteste quand même. Elles peuvent porter tout type de jupe, en cuir, mini, en laine, droite fendue, portefeuille, plissée, taille haute, peu importe la couleur, la matière, ça leur va toujours. C'est ce qui la révolte, ce qu'elle trouve totalement injuste. Avec des collants bariolés et des ballerines aux pieds, des bottes de plage, des espadrilles, des charentaises, elles ont toujours la grâce, alors qu'elle, Caroline, a beau faire, il y a chaque fois un truc qui cloche, elle a l'air d'un sac. Un petit sac rond. *Hé bouboule, tu marches pas tu roules.*

Elle la voit déjà, la Chloé. Elle arrivera la dernière, mèche plongeante, trench-coat ouvert. À Paris, c'est la loi, le carré est suggestif et l'imper déboutonné, en toute saison, pour laisser entrevoir ce qu'on porte en dessous mais surtout montrer qu'on est pressée, débordée, active sans être guindée ou harnachée dans un manteau sévère, qu'on court partout et qu'on n'a pas le temps d'avoir froid, qu'on a des responsabilités mais qu'on reste détendue et prête à l'espièglerie. Tout un programme. Ou une invitation.

Aussitôt un parfum délicat (et néanmoins intrusif) envahira l'appartement, supplantant l'odeur du riz poêlé à la provençale et des blancs de poulet qu'aura préparés Caroline (parce que Stéphane s'opposera au cabillaud à l'aïoli et aux citrons confits qu'elle envisagera d'abord de cuisiner). On entendra un rire de gorge, et la Chloé se répandre en fausses excuses : « Le taxi a eu du mal à trouver et j'étais incapable de l'aider » (traduction : « *quelle idée d'habiter dans un endroit pareil, vous avez vu tous ces gens qui prient sur les trottoirs ?* »). « Je vous ai apporté un Château Coutelin-Merville 2008, j'ai un faible pour le saint-estèphe, pas vous Stéphane ? Comme je ne connaissais pas votre épouse, je n'ai pas osé lui apporter de fleurs, elle ne les aime peut-être pas » (« *elle préfère sans doute le fromage de chèvre* »). « C'est gentil chez vous » (« *moins pire que je le craignais, pour des ploucs* »). Et Stéphane tout empressé la conduira jusqu'au salon où les autres convives se tairont d'émotion au moment de l'apparition de la princesse qui réussira magistralement son entrée (et flinguera superbement la soirée de Caroline). « Caroooo... Chloé est arrivée ! » Elle déteste quand Stéphane l'appelle « Caro », ne supporte pas les abréviations niaises, les surnoms crétinisants. Elle n'aime pas son prénom non plus. « Caroline, tu te rappelles, c'était cette petite blonde à nattes avec une salopette rouge, zoophile, entourée d'animaux aux noms débiles. » J'ai un fou rire, c'est nerveux. « J'avais tous les albums. *Caroline fait du cheval. Caroline à la mer. Caroline invite ses amis. Caroline visite Paris.* » Elle pense que ses parents ont hésité entre Martine, Sylvette, Aglaé et Sidonie. « Au fond, ça aurait pu être pire. » La Chloé, elle aura un boulevard devant elle pour enfoncer le clou, avec ses deux syllabes stylées, nerveuses. Les filles qui s'appellent Chloé sont blondes et pestes. Caroline et moi les haïssons.

Plus la date du dîner approche, moins elle dort. Elle se met à souffrir de bouffées délirantes et paranoïaques, fantasme tellement durant ses heures d'insomnie qu'elle finit par soupçonner Stéphane d'avoir tout manigancé pour procéder à son exécution publique, la renvoyer définitivement au village pendant qu'il convolera avec sa Chloé taille mannequin, juchée sur des talons de 14 cm à semelle rouge. « C'est une femme vraiment courageuse », s'épanche Stéphane, qui en dévoile davantage jour après jour sans s'apercevoir de la vénération qui perce dans sa voix. « Elle est divorcée, avec deux enfants en bas âge qu'elle élève seule, mais elle ne se plaint jamais. C'est toujours la première arrivée au bureau, la dernière partie, je ne sais pas comment elle fait », dit-il.

Moi je sais.

Ces filles-là, qui réussissent le tour de force de rester jolies en survêtement le dimanche matin quand elles descendent leurs poubelles et d'enchaîner les succès professionnels, sont en plus des mères parfaites. Elles ont eu des grossesses merveilleuses, des accouchements sans douleur, un divorce d'amour et (flanquées toutefois d'une batterie de baby-sitters et d'aides à domicile en tout genre) elles cuisinent de vrais plats, bio, sans micro-ondes à leurs bambins, ne leur lisent pas de livres le soir car elles inventent pour eux des récits fabuleux et uniques, leur chantent de mystérieuses et ancestrales chansons en russe ou en amérindien (parce qu'elles ont évidemment une belle voix et une culture internationale), avouent avec un sourire fripon qu'elles autorisent un jour par semaine la bataille de coussins, le désordre total, le boycott du bain et le droit de s'empiffrer de chips devant un dessin animé, organisent pour leurs marmots des anniversaires où ils peuvent inviter jusqu'à vingt copains (avec la complicité d'un animateur dûment rémunéré déguisé en magicien), les emmènent au concert d'éveil musical classique le dimanche matin à la salle Pleyel, aux ateliers dessin du Louvre le mercredi après-midi, n'oublient jamais de rapporter après les vacances scolaires un petit quelque chose pour la maîtresse qui les adore et leur glisse « ah si tous les parents étaient comme vous », car elles ne crient jamais, militent contre la fessée, la tétine, les bonbons et les gros mots, la télévision, l'ordinateur, les jeux vidéo, l'iPad et les smartphones (avant l'âge de 8 ans), estiment qu'il est capital de TOUT raconter aux enfants et n'ont jamais envie de les assommer, même si elles préfèrent, quand ils sont petits, qu'ils disent « j'ai fait *popo* dans ma culotte » plutôt que *caca*, qui est sale et vulgaire.

Caroline ne peut pas rivaliser. Elle n'a pas les mêmes armes. Alors elle décide de ne pas lutter. Elle choisit un pantalon noir et un chemisier blanc, de petits escarpins sombres, très classiques. Il y a un côté mémé qui sort le grand jeu pour aller au thé dansant, ne manque plus que le collier de perles, mais elle ne va pas se mettre en jupe ni risquer l'originalité pour sombrer davantage. C'est perdu d'avance. Le mieux est d'être le moins remarquable, le plus insipide possible, et ça, elle sait faire.

Stéphane passe la semaine à s'entraîner au caramel tous les soirs en rentrant du cabinet. Il crame trois casseroles et crépit la cuisine sans scrupule. Il achète des gousses de vanille à Lafayette Gourmet au lieu de se fournir comme d'habitude chez l'Arabe du coin, ce qui lui fait perdre un temps fou et lui coûte les yeux de la tête. Comme s'il plaçait sur ses crèmes renversées, qui doivent constituer le clou de la soirée, tous ses espoirs d'une vie meilleure (du moins peut-être d'une promotion canapé ou, au pire, d'une augmentation). Son perfectionnisme paie. Disposées dans de petits ramequins, les crèmes sont magnifiques et, de l'aveu de Caroline, délicieuses. Il les prépare la veille au soir, Caroline en goûte une pour vérifier. Avec de minuscules grains de vanille et le caramel onctueux s'étalant lentement tout autour, comme de la lave s'écoulant d'un volcan, c'est tellement bon qu'elle gratte le fond du ramequin avec le doigt. Caroline adore se lécher les doigts, et plus encore quand il y a du caramel dessus.

Je la comprends, je suis comme elle, un peu.

Elle prend un anxiolytique et elle attend.

Dans la capitale, on ne dîne pas avant 20 h 30, voire 21 h, usage auquel Caroline n'est pas encore tout à fait habituée à l'époque. Question de rythme biologique, peut-être. Elle commence à avoir sérieusement faim bien plus tôt et tape sans vergogne dans les gâteaux apéritifs. Mais ce soir-là Stéphane bannit les cacahuètes et les chips. Il prétend qu'à Paris ça ne se fait pas, qu'on sert juste des carottes crues et des concombres à tremper dans des sauces imprononçables. À cette heure, les parents de Caroline ont déjà fini la vaisselle et sa mère est en train de faire sa toilette pour la nuit dans une immonde robe de chambre rose matelassée. Quand elle était petite, ils passaient à table à 19 h et débarrassaient le couvert à 19 h 30. Il faut dire qu'il n'y avait pas grand-chose d'autre à faire et je crains que ce ne soit toujours le cas. Lorsque tout ferme à 19 h, commerces, boutiques, et que seuls deux ou trois ivrognes traînent encore dans les cafés, il n'y a plus qu'à barricader ses volets et allumer la télé. C'est ça, la province.

Mais il est à peine 20 h quand ça sonne à la porte et Caroline doit aller ouvrir parce que Stéphane a décidé de porter une cravate pour l'évènement. « Pourquoi pas une lavallière ? » se demande-t-elle. Depuis plusieurs minutes, il s'énerve sur son nœud, en vain. Il a tort d'insister, ça ne lui va vraiment pas, ou disons comme à elle une robe bustier. Surprise ! Ce sont déjà les confrères de Stéphane et la Chloé, blonde et peste comme Caroline l'avait prévu, qui ont préféré arriver tous ensemble par prudence, et le plus tôt possible afin de pouvoir quitter les lieux au plus vite et terminer la soirée ailleurs. « On n'est pas trop en avance j'espère ? » dit la méchante. « Quelle élégance ! On est venus sans manière, il ne faut pas nous en vouloir, le week-end c'est relâche. » Caroline bredouille quelque chose d'inaudible tandis qu'elle contemple, effarée, l'autre avec son jean et ses Converse, priant pour que Stéphane ait renoncé à sa cravate.

Mais il n'avait pas renoncé et ils ont eu l'air fin toute la soirée, parfaitement déplacés, comme s'ils avaient été les seuls à ne pas avoir reçu le *dress code* alors qu'ils étaient les organisateurs, le comble. Car il y a pire que de ne pas être assez habillé dans un dîner chic, c'est être trop habillé dans un dîner décontracté. Le plus insupportable était que la Chloé restait séduisante ce qu'elle n'ignorait pas. Ils n'étaient sans doute pas assez bien pour qu'elle ait daigné prendre la peine de soigner sa tenue, d'étrenner une jolie paire de chaussures, de porter un bijou, et ça, plus que tout le reste, les sourires hypocrites et la fausse bienveillance, la connivence entre eux, la déception éclatante de Stéphane, a tellement horripilé Caroline que lorsqu'elle est allée dans la cuisine chercher le dessert, elle a eu soudain une idée atroce, cruelle, qu'elle a mise en application sans aucune hésitation.

Elle pouvait me l'avouer maintenant, elle ne regrettait rien. Au contraire, elle en riait encore. Il n'y a pas de prescription pour la vengeance.

Ce soir-là, Caroline a renversé les crèmes dans les exquises petites assiettes anciennes en porcelaine héritées de sa grand-mère, avec des cercles et des décorations dorées sur le pourtour, peintes à la main. C'était très beau avec le caramel qui dégoulinait généreusement, l'harmonie des couleurs était somp-tueuse. Et sur celle destinée à la Chloé, au milieu des petits grains de vanille, elle a méti-culeusement déposé un mélange de poivres de sa composition.

Chloé

C'est un lundi, en mars. Il fait un froid glacial, l'hiver n'en finit pas cette année. On n'a pas vu le jour depuis cinq mois. Le ciel est plombé, les visages sont gris, épuisés. La femme est devant moi. À une ou deux minutes près, on arrive souvent en même temps le matin. Elle vient de déposer sa fille dans la classe juste avant que je quitte à mon tour la mienne. Les grandes sections de maternelle se trouvent tout en haut de l'établissement. Chaque matin il faut grimper les quatre étages de l'école, elle avec sa sacoche lourde de dossiers, en traînant la petite qui dort à moitié et lui fait la tête sans raison depuis qu'elle l'a tirée du lit.

Arrivée au 4e, elle aide l'enfant à déboutonner sa doudoune, s'agace visiblement de la lenteur de ses gestes, la pousse presque dans la salle de classe, se fait violence pour ne pas accrocher à sa place l'étiquette avec son prénom à l'emplacement prévu à cet effet sur le tableau. Je note tout cela scrupuleusement, j'adore observer les autres, je m'en sers après dans mes livres. L'institutrice balbutie un bonjour timide. C'est sa première année d'enseignement. Une jeune femme un peu bovine qui, c'est évident, arrive de banlieue, peut-être même de province, avec de grosses fesses moulées dans un jean qui ne lui va pas et un mauvais goût sidérant, tétanisée devant tous ces parents qui défilent chaque jour sous ses yeux et que rien n'impressionne, ni les collages ni les peintures ni le cahier d'éveil ni l'alphabet en lettres cursives ni même le calme relatif de tous ces petits bambins déposés à la hâte, embrassés avec effusion, à grands coups de « je t'aime mon amour », « passe une belle journée », « à ce soir mon chouchou », « ma louloute », « mon chaton », « ma crevette-chat » (moi), qui dessinent, se mouchent, sommeillent ou lisent dans un coin en attendant que ça commence.

Cette femme-là, appelons-la Chloé, a du mal. C'est évident. Chloé ne supporte pas tout ce rituel, l'arrêt obligatoire devant le menu de la cantine, parmi les autres parents qui bêtifient et surjouent, avec une voix de dessin animé, le filet de hoki, l'Ebly ou la brandade de morue. « Comme ça va être bon mon amour tu as de la chance tu vas te régaler. » Sa fille ne mangera rien, elle a du goût et du palais. Dans les couloirs, il y a ceux qui ont un nourrisson sur le ventre, dans un porte-bébé bleu marine, ces couples parfaits, contents d'eux. À mon avis, ce sont les pères qui l'irritent le plus, les jeunes types avec barbe de deux jours et fausse décontraction, trop heureux d'afficher leurs deux, trois, quatre enfants, signe extérieur de réussite. C'est un quartier où l'on se reproduit, où l'on part au ski l'hiver, où l'on va au catéchisme le mercredi, où l'on manifeste contre le mariage pour tous le dimanche, après la messe. Dans l'entrée, on peut déposer des jouets pour les enfants des quartiers défavorisés, et il y a des dames boudinées de bonnes intentions qui flirtent avec la directrice et font signer des pétitions. Chloé ne signe jamais. Rien.

J'ai remarqué qu'elle ne disait bonjour à personne, ou alors quand elle n'a vraiment pas le choix et parce qu'on s'est planté juste devant elle pour la forcer à lever la tête. Tout doit lui paraître moche dans cette école, les murs couverts de poèmes sur l'amitié entre les peuples ou les fresques pontifiantes sur l'écologie. Chloé, je le sais, les trouve grotesques puisqu'en réalité tout le monde ou presque s'en contrefout. Les bourgeois du bas 9e (limite 8e) ne pensent qu'à eux et à leur petite progéniture gâtée qui porte des marques des pieds à la tête, leur progéniture, il faut le reconnaître, souvent bien mieux habillée qu'eux.

Quand elle sort de l'établissement Chloé est en nage, à cause de ces foutus étages qu'il faut monter et descendre en croisant le flux incessant des autres parents et enfants. En mars plus personne ne pleure comme au début de l'année scolaire, plus personne ne filme avec son téléphone portable son marmot en train de traverser le préau avec une tête de six pieds de long. C'est déjà un peu moins pénible, mais l'inconvénient c'est le chauffage plein pot. Comme Chloé court depuis que son réveil a sonné, qu'elle est certainement frileuse et porte toute une batterie de couches superposées sous son manteau, parce qu'elle est accablée par le stress d'être en retard au cabinet et l'énervement systématique qui la prend dès qu'elle pose le pied dans l'école, elle est chaque fois au bord de l'évanouissement.

Je vois bien qu'elle déteste sentir la sueur perler sur son front et sous ses aisselles alors qu'elle a pris une douche à peine une heure plus tôt et en est seulement au tout début de sa longue journée de travail. Chloé supporte mal les brusques changements de température, et après un bref passage à nouveau sous zéro, le temps de redescendre la rue et de traverser la place de la Trinité, elle plongera dans la moiteur étouffante du métro. Je compatis et, ce jour-là, je la suis.

Le lundi matin, à un certain créneau horaire, précisément entre 8 h 35 et 8 h 40, Chloé sait qu'elle a une chance de monter dans la première rame. De parvenir à s'y engouffrer sans jouer des coudes, et peut-être même de trouver une place assise, au moins en tout cas jusqu'à la station suivante, Saint-Lazare, après c'est inconcevable. C'est rare mais ça peut arriver. C'est pourquoi elle se montre parfaitement intolérante à l'égard de tout obstacle susceptible de surgir sur sa route, en particulier dans l'enceinte de l'école, jusqu'au quai de la ligne 12. Le lundi matin, on sent la différence, légère mais indéniable pour l'œil et le nez expérimentés de Chloé. Le métro n'est pas vide, loin de là, mais la plupart des strapontins sont dépliés, ce qui est impensable en temps normal aux heures de pointe, malgré l'incivisme notoire des Parisiens qui seraient prêts à sacrifier leur mère pour s'asseoir même en plein rush, même entourés de femmes enceintes, de personnes âgées, de mutilés de guerre, de handicapés moteurs ou de jeunes enfants. Le lundi matin, on voit aussi des gens qui lisent le journal, certes plié, bien souvent un de ces numéros gratuits distribués à l'entrée et que méprise Chloé, comme moi. C'est grâce aux RTT. Mais les jours suivants, c'est inimaginable puisqu'il est déjà extrêmement compliqué d'agiter le pouce juste pour envoyer un SMS.

Comme il y a un petit peu moins de monde, ça sent aussi un petit peu moins mauvais. Et c'est peut-être à cette variation-là que nous sommes, Chloé et moi, le plus sensibles. C'est cette amélioration-là de nos conditions quotidiennes de transport que nous apprécions le plus. Des années de pratique du métro ne nous ont toujours pas rendues indifférentes, malheureusement, aux puanteurs d'autrui. C'est fou ce qu'un corps peut dégager comme odeurs néfastes, davantage encore quand il marine de force dans un espace confiné et surchauffé, ceux qui transpirent, ceux qui portent une eau de toilette bon marché qui vire mal sur leur peau et donne envie de vomir, ceux qui transpirent *et* portent une eau de toilette bon marché, un gel agressif pour les cheveux, un détergent immonde sur leurs vêtements, ceux qui ont mauvaise haleine même la bouche fermée, ceux qui dégagent des relents d'alcool ou d'ail dès l'aube, qui empestent le tabac, la vanille. Chloé est une femme raffinée, elle a les narines subtiles. On ne mesure jamais ce que les gens endurent, quand elle était petite elle voulait peut-être devenir fleuriste, qui sait ? Le métro parisien est une infection, comme les quais de la Seine qui puent la pisse, c'est une réalité que personne ne peut nier et qui figure pourtant rarement sur les guides touristiques. Certaines stations sont plus terribles que d'autres. Chloé sur la ligne 12 traverse la capitale du nord au sud. Elle a dix arrêts avant Montparnasse, où se trouve son lieu de travail. À Madeleine, par exemple, ça sent systématiquement l'œuf pourri, la boule puante, personne ne sait pourquoi et Chloé ne s'y accoutume pas. Comment peut-on s'y habituer ?

Et puis il y a tous ceux qui font la manche et se succèdent à un rythme effréné dans les rames, se croisent parfois, se télescopent, débitent le même discours syncopé que personne n'écoute, chantent faux, jouent mal et, aussi insensé que cela puisse paraître, réussissent à se glisser dans un wagon déjà bondé où l'on peut à peine remuer une oreille, parmi les pauvres travailleurs pleins de cernes et de patience. Chloé a déniché la parade infaillible : les écouteurs. Dès qu'elle entre dans le métro (je parie qu'elle adorerait le faire aussi dans l'école mais se retient par égard pour sa fille), elle les enfonce dans ses oreilles et s'isole grâce à la musique de son iPod, se retranche des conversations insipides des autres voyageurs et du tranchant de ce monde. Contre les pestilences diverses, hélas, il est moins aisé de se protéger, il faut bien respirer. L'hiver, Chloé enfouit au maximum le visage dans son écharpe 100 % cachemire que je devine aspergée d'eau de jasmin, et elle attend que ça passe, comme nous tous.

Mais ce lundi de mars, Chloé remarque rapidement qu'il y a quelque chose de changé. Son visage se crispe davantage, devenant franchement patibulaire. Dans un procès, j'aimerais mieux qu'elle soit mon avocate que celle de la partie adverse. Les gens sont-ils encore plus laids que d'habitude ou est-ce elle qui est particulièrement de mauvaise humeur ? La dernière fois qu'elle a pris quelques jours de vacances, c'était à Noël, un séjour désastreux chez une amie dont elle n'a pas supporté les enfants et avec qui elle s'est fâchée depuis. La plupart de ses collègues sont au ski. Il faut bien que quelqu'un assure la permanence du cabinet, ce n'est pas comme s'il y avait une trêve dans les divorces pas à l'amiable du tout, le non-respect des gardes alternées, des non-présentations d'enfants, des règlements de pensions alimentaires. Bonne fille, Chloé a déclaré que le ski ce n'était pas son truc, le vin chaud, la tartiflette. C'est une indécrottable Parisienne, tout le monde le sait, au bord de la crise de tachycardie dès qu'elle franchit le périphérique. Elle laisse aux autres le plaisir des remontées mécaniques et des réjouissances montagnardes. N'empêche, l'air de rien, elle accuse le coup de semaines non-stop oppressées dans la grisaille. Elle est à cran et les affiches gigantesques de paysages champêtres, et même alpins, placardées partout ces derniers jours dans le métro comme un fait exprès, lui semblent une provocation vicieuse spécifiquement tournée contre elle.

Les gens sont laids ce matin et Chloé leur trouve l'air encore plus idiot que d'ordinaire, si cela est possible. Ils ont de bonnes joues bien rouges, des accoutrements ringards à souhait. Soudain Chloé, qui est plus vive que moi, comprend tout en un clin d'œil : pour s'habiller aussi effroyablement, il faut habiter en dehors de la capitale, très loin même, parce que ici, à Paris, Dieu merci les femmes n'ont jamais aspiré à ressembler à des shampouineuses de village avec mèches blondes et rose à lèvres, ni les hommes à ces caricatures du Français moyen, béret noir et moustaches tombantes, qui n'existent que dans les documentaires des années soixante et la presse populaire anglaise, donc ennemie. Tout s'explique, ce sont des provinciaux, des péquenauds en somme ! Chloé les repère aussi vite que l'éclair. En plus d'être attifés comme l'as de pique, ce sont les seuls, avec les hommes politiques en campagne électorale, capables de vivre des instants de grâce dans le métro. Ils regardent tout avec éblouissement, dévisagent impudemment les autres, s'émerveillent et émettent des commentaires à chaque station traversée : Concorde formidable ! Assemblée nationale épatant ! Solférino trop bien ! Heureux comme des ravis de la crèche.

En principe, ils sont seulement quelques-uns par rame, égarés par on ne sait quelle cruelle erreur dans le grand agglomérat, et je ne doute pas une seconde que Chloé, sens moral oblige, sait se montrer indulgente envers les minorités. Mais ce matin, c'est une véritable invasion, le métro entier semble un défilé de mauvais goûts, comme si la campagne avait débarqué intempestivement sur la 12. Pour un peu ça sentirait l'ail. Chloé connaît les limites de sa mansuétude, dommage, justement, elles sont déjà atteintes. Il y a un indicateur qui ne trompe pas : les ailes de son nez blanchissent et préviennent d'une crise imminente. Tout s'éclaire dans sa tête. Ce n'est pas son pire cauchemar qui se réalise, une scène particulièrement atroce d'un film d'anticipation qui verrait la destruction de Paris par la campagne, c'est tout bêtement, comme chaque année plus ou moins à la même période, le Salon de l'agriculture qui vient d'ouvrir porte de Versailles, c'est-à-dire tout au bout de la ligne 12 ! Notre ligne 12 à nous, à Chloé et à moi, que nous allons devoir partager matin et soir pendant une semaine avec des centaines de ruraux bouffis et satisfaits.

Le matin, il n'y a rien à faire, aucun moyen de se venger de cette agression sauvage. Ils vont tous au Salon, c'est simple, ils ne peuvent pas se tromper pour peu qu'ils sachent lire, c'est tout droit. Le soir en revanche c'est différent. Paris, tant qu'on y est, autant en profiter, s'offrir les incontournables, Folies Bergère, Moulin Rouge, petites femmes et compagnie. Et Chloé, qui bien souvent a plaidé tout l'après-midi, a affronté pendant des heures la mauvaise foi, la rancune, le mensonge, l'avarice, et rêve d'un bain chaud en écoutant n'importe quelle émission sur France Culture, offre alors son sourire le plus compréhensif au gentil paysan qui vient lui demander « par où donc qu'il faut descendre pour aller à Pigalle », et lui indique chaque fois, sans hésiter, une mauvaise direction.

Louise et Charlotte

C'est parti d'une plaisanterie. L'une a dit : « Tu sais que cette année chez D. ils ont promis d'habiller des pieds à la tête, gratuitement, les cinquante premières clientes qui se présenteront entièrement nues le premier jour des soldes dès l'ouverture du magasin boulevard des Capucines ? »

« Tu déconnes ! » a répondu l'autre.

Elles se sont mises à pouffer. La petite ronde et la grande mince, amies depuis vingt ans, balayage blond Passy-Henri-Martin, quarantaine triomphante. Louise et Charlotte. Elles suaient légèrement depuis quelques minutes, c'était la caféine, la touffeur excessive sous les lampes de la terrasse, la couverture polaire prêtée par le restaurant. Elles avaient forcé sur le café, elles étaient énervées comme des puces après ce déjeuner qui s'éternisait, ce moment volé aux inlassables répétitions et déceptions familiales, aux responsabilités multiples, aux enfants ingrats, qu'aucune des deux n'était pressée de voir s'achever. Elles avaient « pris » leur après-midi, ce qui était une façon de parler puisque l'une ne travaillait pas et que l'autre avait des jours de RTT à ne plus savoir qu'en faire. Rien ne pressait, elles étaient bien, elles auraient voulu que ça dure jusqu'au soir.

Il s'est mis à neiger depuis une heure, d'indécis flocons d'abord, puis des pattes de lapin qui ont vite tapissé le toit des voitures, les trottoirs et même la chaussée de la rue de la Pompe. Sous la verrière de la terrasse, Louise et Charlotte ont la délicieuse sensation d'être dehors tout en étant à l'abri, à l'écart du monde, bien au chaud sous la monstrueuse couverture vert pomme qu'elles partagent. Cela a des allures d'improbable défi, comme un arrière-goût d'interdit, elles sont grisées, ne sauraient expliquer pourquoi. Elles ont toujours détesté l'hiver l'une et l'autre, les lampions de Noël et les inévitables vacances au ski. « Le 16e est encore plus mortel pendant cette période mais existe-t-il un autre endroit acceptable pour vivre ? » se plaint systématiquement Louise quand on se voit toutes les deux, et j'admire chaque fois son sentiment d'impunité. Louise n'est pas une de mes amies. C'est la fille d'une photographe que j'aimais beaucoup et qui est morte il y a quelques années d'insuffisance respiratoire. « Il y en a qui ne manquent pas d'air, moi si », disait-elle à la fin. Par fidélité à sa mémoire, je rends visite une fois par an à sa fille qui ne lit pas mes livres et me raconte pendant des heures sa vie et celle de sa copine Charlotte. À force, j'ai fini par les connaître aussi bien que si elles étaient des personnages de mon invention. Sinon, à part les quelques fois où je suis conviée à une émission à la

Maison de la Radio, je vais rarement dans le 16ᵉ.

Leur seule lueur dans cette longue nuit survient lors des déjeuners qu'elles s'octroient une fois toutes les trois semaines depuis des années, où elles parlent de leurs enfants, connectés en permanence, de leurs maris ; celui de Louise n'a toujours pas compris qu'on ne met pas de sacs en plastique dans la poubelle jaune du tri sélectif ; celui de Charlotte vient de la quitter pour une jeunesse ; des nouvelles tendances, dont elles se moquent pour ne pas reconnaître qu'elles s'en sentent exclues. Pour plaisanter, un jour il y a longtemps, elles se sont mises à s'appeler mutuellement Ginette. Ça faisait peuple. Elles ont trouvé ça tellement tordant qu'elles ont recommencé le jour d'après, puis le jour suivant. Finalement, c'est resté.

À présent elles s'amusent à imaginer les filles, « des gamines forcément, tu penses, qui d'autre ? », qui seront prêtes à faire le pied de grue le lendemain matin pendant des heures, bien avant l'ouverture de la boutique boulevard des Capucines, dans le froid glacial et la nuit encore vive, afin d'avoir une chance de figurer parmi les cinquante élues, nues sous leur manteau. « Tu te rends compte, Ginette, il faut être cinglée, avec le froid qu'il fait ! C'est un coup à attraper une pneumonie, pour quelques fringues… » « Mais non Ginette, ce n'est pas pour l'argent, rien à voir, c'est juste un sacré coup de pub, ça va attirer un monde fou, des pervers qui viendront fantasmer à défaut de pouvoir se rincer l'œil, sans parler des journalistes, si ça se trouve il y aura même des télés. » « Faut avouer que ça n'arrive pas tous les jours un truc pareil, je veux dire avoir le droit d'être à poil en plein Paris, pas seulement de ne pas porter de culotte sous sa jupe ou de soutien-gorge sous son pull, ça on l'a toutes fait au moins une fois, mais rien du tout sous sa doudoune à part une bonne paire de bottes fourrées… et sa petite toison… » « Toison pas sûr, Ginette, les jeunes maintenant c'est épilation intégrale dès 14 ans, ils n'ont pas précisé chez D. s'ils acceptaient ou pas les poils sous le manteau ?!... » « Remarque, c'est peut-être un truc à vivre une fois dans sa vie, après tout, à une autre époque, a dit Louise, je me serais peut-être laissé tenter... Là-bas personne ne nous connaît, ce n'est pas notre quartier... »

Elles étaient euphoriques. C'était bon de rire comme ça, avec des sous-entendus graveleux, des blagues bien lourdes, de se lâcher sans complexe. Partout il fallait être exemplaire, traquer le cheveu blanc, la faute de goût, combattre la cellulite, sourire au prof principal du collège privé qu'on payait pourtant assez cher pour avoir la paix, même quand celui-ci vous crucifiait en public : « Vous avez songé à une filière technique pour votre fille ? » Et toute cette neige qui n'arrêtait pas de tomber. L'horreur de l'hiver, de la montagne, des tire-fesses. Des repas de Noël.

« De toute façon, à plus de 40 piges, on ne peut plus se permettre… » a-t-elle ajouté.

Elles regardent les flocons, elles ont les joues en feu. Alors Charlotte dit : « Et pourquoi pas, Ginette, chiche, si on le faisait ? »

Vive la vie, vive l'amitié, vive Paris ! Seule ville au monde où les femmes se sentent belles à tout âge, audacieuses, conquérantes. Miracle ! Où elles sont encore plus belles avec le temps, à 40 plus qu'à 30, à 50 plus qu'à 40, s'assumant avec armes et bagages, se revendiquant telles, défiant le regard des autres, même pas peur ! Là où la jeunesse s'égare dans une juxtaposition de styles épars, la Parisienne, épanouie, modèle planétaire, a trouvé. Merci Catherine (Deneuve), merci Inès (de La Fressange). Le soir, Louise en est là.

Frémissante, elle virevolte dans l'appartement comme dans une publicité pour collants avec une légèreté qu'elle n'a pas éprouvée depuis (trop) longtemps. À peine le dîner terminé, Marc s'est affalé devant l'écran plasma, les filles se sont repliées dans leur chambre. Comme d'habitude elles ont grogné quand elles ont vu la poêlée de légumes anciens qui réchauffait sur le gaz, ont mangé avec un lance-pierre, une fesse dans le vide et les yeux régulièrement baissés du côté de leurs poches de pantalons, présence suspecte et en principe interdite lors des repas de téléphones portables qui a le don d'exaspérer Louise mais ce soir elle n'a rien dit, n'ont pris ni produit laitier ni fruit et il a fallu leur rappeler de débarrasser leur assiette en sortant de table. Une soirée tout à fait ordinaire en somme, chacun pour soi et panais rutabagas topinambours pour tous. Les filles se maquillent trop, téléphonent trop, surfent trop sur Internet, s'habillent trop court, trop provoc, se couchent trop tard pour leur âge, mais ce soir décidément il semble à Louise que rien ne peut l'atteindre, dans le vertige qui l'étreint à la perspective du forfait qu'elle va perpétrer avec Charlotte avant le prochain lever du jour, c'est-à-dire dans quelques heures à peine. Elle a juste la présence d'esprit de demander à travers la porte de la chambre à sa cadette : « Tu as fini ton commentaire de texte en français ? » Pur réflexe maternel.

Elle a hésité, pendant quelques minutes, au moment des légumes, elle a failli, vraiment, elle était à deux doigts de tout révéler aux filles et à Marc, à cause de l'excitation espiègle qui accélère son pouls et lui donne l'impression d'avoir gobé une double ration d'euphorisants, mais à la dernière seconde quelque chose l'a retenue. L'idée n'est pas venue d'elle, c'est Charlotte qui a lancé le défi. C'est Charlotte qui a dit « allez Ginette on ne va pas se dégonfler », et Louise n'a eu d'autre choix que de le relever sauf à avouer définitivement son renoncement à l'insouciance, confesser publiquement qu'elle n'a plus l'âge pour l'irrationnel. Mais ce n'est pas la raison pour laquelle elle a finalement décidé de ne rien leur dire. Ce n'est pas non plus par peur de perdre son enthousiasme face à l'air consterné de Marc, aux sarcasmes des filles. Ce soir elle est invincible, rien ne saurait la toucher, ils pourront dire ce qu'ils veulent, qu'elles seront ridicules Charlotte et elle, totalement décalées, d'autant que D. est avant tout une marque pour jeunes, avec coupes asymétriques et imprimés chargés, qu'elles *choperont grave la honte* au milieu de toutes les minettes anorexiques en pantalons *slim* dans lesquels, elle, Louise, ne rentre pas même une cheville, auront l'air de deux vieilles biques essayant de se faire passer pour des agneaux. *Mutton dressed as lamb*, comme disent les Anglais. Ce soir elle est au-dessus de ça.

La beauté n'est une question ni d'âge ni de physique. Ce n'est pas moi qui le dis, c'est une affirmation qui revient souvent dans la presse féminine, et je ne demande qu'à y croire. C'est un rayonnement intérieur, on nous le claironne sans cesse, preuves à l'appui. Il semblerait que, passé un certain âge, les femmes resplendissent davantage encore. Il n'y a qu'à voir Juliette Binoche, Emmanuelle Béart, Sophie Marceau, qui bénéficient peut-être d'un traitement spécial et non négligeable vis-à-vis du temps par rapport à nous, simples mortelles, mais Louise a ceci de particulier qu'elle n'a aucun complexe. C'est d'ailleurs ce qui la rend touchante et m'émeut chez elle. Elle a un peu de ventre, des fesses, des formes et des rondeurs qui, à l'entendre, ne déplaisent pas à son mari, ni secrètement à la majorité des hommes si l'on en croit les sondages. Elle a eu deux enfants très rapprochées, mène une vie plutôt sédentaire occupée à entretenir sa blondeur et à changer tous les cinq ans la décoration de l'appartement familial, héritage paternel, avenue Mozart. Seules les stars de cinéma, ainsi que récemment une de nos ex-ministres, sont capables de retrouver leur silhouette impeccable trois semaines après avoir accouché. Elles ne mangent plus, font du sport à outrance sous la surveillance d'un coach privé. Louise hait le sport et elle aime manger, elle ne s'en cache pas. Son dernier accouchement, c'était treize ans plus tôt. Elle n'a jamais retrouvé sa silhouette impeccable, qu'elle n'a jamais eue non plus.

Contrairement à Charlotte.

Charlotte, c'est vrai, est adepte du Pilates, de l'*aquabike*, elle dit *waterbike* parce qu'elle est snob. Dès qu'une nouvelle tendance voit le jour, et à Paris on ne peut pas se plaindre de ce côté-là, elle se rue dessus. À différentes époques elle a ainsi essayé les bars à sourcils, les poussettes cafés, les *nail* bars, les bars à chats. Elle court tous les matins à l'aube au bois de Boulogne parmi les dizaines de joggeurs accomplissant le même tracé pénitentiaire, et trois fois par semaine elle fait du vélo dans l'eau, 500 calories, 30 minutes, 30 €. Efficacité. Pragmatisme. « Ce qui n'a pas empêché son mec de se tirer avec une autre, la malheureuse », *dixit* Louise, qui, on s'en doute, a horreur de courir. Et la perspective de pédaler dans une piscine la plonge, le terme est malheureusement approprié, dans un état qui oscille entre la consternation et l'hilarité. Toutes ces années à se priver, se serrer la ceinture, se faire violence au restaurant pour préférer le dos de cabillaud légumes vapeur au confit de canard pommes sarladaises, se badigeonner de soins en tous genres, masques, crèmes de jour, de nuit, censées renforcer la structure de la barrière cutanée, freiner la pénétration d'agents irritants et fixer l'eau dans les couches supérieures de l'épiderme. Si en plus il fallait faire du sport... Elle est bien comme elle est. Charlotte est plus proche du modèle standard, grande, mince, jambes galbées, poitrine ferme. Charlotte est un peu formatée, voilà la vérité. Mais Louise, elle, a du style, des deux, la vraie Parisienne c'est elle.

Même toute nue, demain matin, devant chez D.

Plus moyen de reculer de toute façon, de perdre la face devant Charlotte qui serait tellement déçue, avec la mauvaise passe qu'elle traverse en ce moment et qui, si ça se trouve, avait aussi derrière la tête l'idée de la provoquer, de l'éprouver ainsi qu'elle aime bien faire, voire de l'humilier un tout petit peu, comme lorsqu'elle fait mine de lire au restaurant la carte des desserts et finit toujours par dire « non finalement ce n'est pas raisonnable je n'en prends pas », alors que Louise se pourlèche déjà les babines en songeant au mille-feuille qu'elle a commandé sans culpabilité. Charlotte, qui n'aura aucun mal à enfiler une robe taille 36 de chez D. malgré ses quatre ans de plus et ses trois enfants.

Il y a aussi dans mon entourage des femmes de ce genre, la vie est injuste.

Elle a bien fait de ne rien dire. Marc par prudence ne ferait sans doute aucun commentaire, d'autant qu'il y a du foot à la télé. Mais Louise justement se demande si cette pseudo-indifférence, forme silencieuse de l'apitoiement, ne serait pas pire. Quant aux filles, elles n'en finiraient pas de ricaner. Les filles gloussent à toute heure. C'est un âge d'hilarité bruyante et animale, et encore maintenant alors qu'il est tard et qu'elles sont censées faire leurs devoirs. Louise s'approche de la porte de leur chambre et entend la cadette qui semble enfin s'être mise à son commentaire de texte demander à l'aînée : « Ça veut dire quoi *gélatineux* ? » Et l'autre qui lui répond : « Un truc mou et flasque. Qui tremble un peu. Avec du sucre dedans. »

« Comme les cuisses de maman ? »

« Comme les cuisses de maman. »

Charlotte, acte II

Dans sa jeunesse elle était belle, pas comme on l'est toutes certains jours, belle de manière spectaculaire. En fin d'après-midi, à cette heure où la lumière est plus douce et la vie moins pressée, il lui était impossible de s'asseoir à la terrasse d'un café, d'une brasserie, devant un verre de vin blanc, d'allumer une cigarette, perdue dans la foule de la capitale, et d'observer le va-et-vient continuel des passants sans être importunée. Charlotte s'en plaignait régulièrement, parfois avec humour, parfois avec un chagrin non feint. Dans les lieux publics, les très jolies femmes n'ont jamais le droit d'être tranquilles et livrées à l'indifférence générale, pas même dans les grandes villes, pas même cinq minutes.

Aussitôt un prétendant surgissait auprès d'elle, venant tenter sa chance, offrir un autre verre, une cigarette. Son alliance montée d'une énorme pierre à l'annulaire gauche n'y changeait rien. Un galant plein d'audace succédait à un autre qu'il lui fallait éconduire, et poliment bien entendu, sinon ça risquait de se retourner contre elle. Elle pouvait se faire traiter de pimbêche, de mal embouchée, pire encore. Cela lui était déjà arrivé et son mari s'en amusait beaucoup quand Charlotte le lui racontait, gonflé d'orgueil d'avoir une femme qui faisait fantasmer tous les hommes. Le visage de Julien changeait et il la regardait soudain autrement. C'était d'ailleurs essentiellement pour cette raison que Charlotte s'asseyait régulièrement à la terrasse des cafés en fin d'après-midi, avant.

Mais ce n'était pas toujours facile au quotidien, même dans l'arrondissement où elle vivait, où l'on se tient à une bonne distance de sécurité des autres, et il y a eu une période, entre 30 et 40 ans environ, où elle est devenue plus belle encore, et les choses se sont compliquées. Charlotte s'est mise à souffrir. Elle a renoncé à sortir seule, au cinéma, au restaurant, un peu partout, à fréquenter la piscine et les allées du bois de Boulogne, à porter des jupes ou des robes au-dessus du genou. À cause de ses trop jolies jambes, elle redoutait de se faire siffler dans la rue, d'entendre sur son passage des remarques, des compliments, des propositions. Elle se maquillait peu, évitait les talons hauts, le cuir, la dentelle, la guipure, le vernis à ongles, les chapeaux, le rouge à lèvres trop vif. Elle ne portait jamais de gants, pour que l'on voie bien son alliance, même de loin. Et malgré toutes ses précautions, elle se faisait tout le temps enquiquiner. Certains hommes lui adressaient des signes très explicites, d'autres se pourléchaient carrément les babines lorsqu'ils passaient près d'elle.

Au bureau, son physique lui empoisonnait l'existence et ne lui causait que des soucis. On la considérait avec méfiance et jalousie. On la soupçonnait des pires machinations. Elle taisait la plupart de ses ambitions, n'osait pas briguer de poste plus élevé, se risquait à peine à demander une augmentation tous les trois ans. Julien trouvait qu'elle exagérait, qu'elle avait une tendance à la paranoïa. À Paris les jolies femmes courent les rues, cela n'a rien d'exceptionnel, il n'y a qu'à tourner la tête. « On peut s'habiller comme on veut et même se balader avec une plume dans le cul », prétendait Julien. Tout est permis. Les gens font comme s'ils ne voyaient rien, feignent de ne pas reconnaître la star qui s'installe à la table d'à côté au restaurant. C'est ce qu'on appelle la classe, le chic parisien. D'après Julien, c'était elle qui avait un problème avec son corps. Elle ne le contredisait pas mais à l'agence où elle travaille, Charlotte n'a jamais célébré son anniversaire, le succès scolaire de ses enfants, ni aucun autre triomphe personnel. Elle remplissait toutes ses tâches avec discrétion puis rentrait le soir chez elle ; parfois à pied parce qu'elle a toujours aimé marcher et faire du sport, même si c'était loin et qu'elle se faisait forcément suivre et aborder ; parfois même en prenant les transports en commun où, c'était inévitable, des mains s'arrangeaient toujours pour la peloter au passage.

Quand elle sortait avec Julien, elle n'était pas plus à l'aise. Charlotte avait souvent l'impression que son mari l'exhibait comme une prise de guerre, un signe extérieur de richesse qu'il avait tout intérêt à montrer et dont il vantait les qualités en public, alors qu'à la maison, il n'était pas très expansif, et le devint de moins en moins avec le temps. Ils rentraient, échangeaient deux ou trois banalités. Il ne se passait plus rien. Et un jour Charlotte a compris qu'elle était comme la belle voiture de course que Julien s'était payée un jour de folie, moins parce qu'il avait une passion pour les voitures que pour en mettre plein la vue aux autres. Une fois rangée au garage, elle n'existait plus.

C'était il n'y a pas si longtemps, pourtant.

Elle a été contrainte de se durcir. Avec les années, sa mâchoire s'est serrée, son regard s'est glacé, un masque de froideur s'est posé sur son visage de madone. Si je lui posais la question, Charlotte serait incapable de dire à quel moment on a cessé non seulement de la regarder dès qu'elle posait le pied dans la rue, mais simplement de la voir. Bien sûr, je ne la poserai pas. « Ton drame c'est que tu ne t'es jamais acceptée telle que tu étais », a dit Julien quand il l'a quittée. À présent, Charlotte n'hésite plus à exhiber cette féminité qu'elle a si longtemps étouffée. Elle a changé de coiffure, éclairci ses cheveux, accentué le trait sur ses yeux. Elle a chaloupé sa démarche. Elle exagère. J'éprouve toujours une gêne un peu triste quand je suis avec elle. Charlotte s'est métamorphosée. Maintenant elle porte des jupes. Les gens croient que c'est à cause du départ de Julien. On a vu des femmes abandonnées se transformer radicalement, faire surgir une part d'elles-mêmes jusque-là insoupçonnée. On en a vu certaines perdre quinze kilos et soigner soudain leur allure tassée par des années de vie de couple. Des femmes invisibles jaillir au grand jour. Au Salon du divorce, les conseils en *relooking* font fureur. Une réaction à la blessure.

Mais chez Charlotte, c'est plutôt une réaction à la beauté. Elle a toujours été mince et distinguée, flamboyante, remarquable. Maintenant elle ne l'est plus. Et ça n'a, peut-être, rien à voir avec Julien.

Désormais elle possède une carte de fidélité dans un institut, où elle renouvelle tous les mois ses produits de maquillage, ses crèmes en tout genre. Les employées sont trop souriantes, trop parfumées et outrageusement couvertes de fond de teint. Elles abusent de brillant à lèvres et laissent dépasser leur bretelle de soutien-gorge de leur petit top excessivement serré, mais Charlotte a beau, malgré leur amabilité excessive, s'obstiner à détecter chez elles des tas de défauts, des fautes de goût catastrophiques, elle doit se rendre à l'évidence : elles ont toutes 25 ans.

Et lorsqu'elle arrive à la caisse, avec ses achats étalés devant elle comme autant de preuves de son déclin, elle attend, résignée, impeccable de la tête aux pieds, que la vendeuse, tout sourires, lui lance joyeusement : « Et comme échantillons gratuits, je vous mets des soins ? J'ai des crèmes antirides et ridules formidables. Vous allez voir, elles font des miracles ! »

L'Actrice

Elle est un peu en retard, ne s'excuse pas vraiment car ce n'est pas sa faute. Ce n'est jamais sa faute. « Le métro qui s'arrête soudain entre deux stations à un endroit où forcément ton portable ne passe pas, tu vois ce que je veux dire, quand tu te retrouves bloquée pendant plusieurs minutes sans savoir pourquoi avant que le chauffeur daigne t'annoncer sur un ton agressif *Veuillez patienter régulation de trafic merci de votre compréhension*... De la compréhension, c'est sûr qu'il en faut, et surtout de l'endurance, enfermée dans cette étuve en doudoune d'hiver, collée entre un pervers couperosé qui pue l'alcool et une ado qui mâchouille un énorme

Malabar à la fraise, je suis tellement sensible aux odeurs ! Et à la station d'après, c'est encore pire, puisqu'à cause de l'arrêt intempestif il y a deux fois plus de monde sur le quai… Enfin que veux-tu, c'est Paris ! Tu vas à Tokyo c'est impeccable, pas un papier par terre… Des otages, des soumis, voilà ce qu'on est devenus ici, moi je suis pour l'insurrection générale ! »

Elle reprend son souffle, parle par tirades, bien distinctement, sûre de son effet, ne peut s'en empêcher. Le timbre rauque, encore tremblotant, à cette heure où pour elle la journée commence, néanmoins tout à fait audible à plusieurs tables à la ronde.

Ou alors c'est à cause du taxi. En vérité, l'Actrice, c'est plutôt le taxi qu'elle prend, quand elle a la chance d'en dégotter un car à Paris, c'est bien connu « tu ne trouves jamais de taxi quand tu en as besoin, la honte, comparé à New York, Londres où tu n'as qu'à tendre le bras », râle-t-elle en retirant sa toque. Je découvre alors ses cheveux ultracourts. « Oui, c'est plus pratique, comme ça je peux m'adapter, même à la dernière minute, une perruque et le tour est joué. Les couleurs, les soins, à la longue ça t'esquinte le cuir chevelu je ne te raconte pas, regarde Marilyn à la fin, dans les *Misfits*, elle aussi, tu le sais bien, tu n'as pas écrit un bouquin sur elle ? »

Elle a baissé d'un ton, en remet une couche sur les taxis parisiens, odieux, racistes, effrayants, ceux qui fument entre deux clients et tentent de dissimuler l'odeur au moyen de ces petits arbres magiques qui pendouillent au rétroviseur et diffusent une odeur épouvantable. « De toute façon il est impossible de circuler dans cette ville, entre les travaux, les manifs, les sens uniques, et dès qu'il neige trois flocons tout est paralysé. » Elle a ôté trois épaisseurs de pulls superposés, s'assoit enfin, pose son regard sur moi, feignant d'ignorer les autres clients qui n'ont pas pu ne pas la remarquer. « Je suis tellement frileuse, il fait chaud ici, non ? »

Même si en réalité, la plupart du temps, elle est à pied parce que c'est moi qui me déplace dans son quartier, qui viens jusqu'à elle afin de lui éviter, précisément, d'avoir à affronter l'adversité du monde qui commence au-delà du 6e arrondissement. C'est moi qui l'attends au bar de cet hôtel luxueux devant un thé vert et parce que entre nous s'est tout de même installée, que je le veuille ou non, une petite hiérarchie, même si on ne prend jamais rendez-vous le matin et qu'elle est contrainte, à plusieurs reprises, de reporter pour des raisons professionnelles et indépendantes de sa volonté, elle est en retard, toujours.

On se voit une fois par an environ, bien qu'à six stations sur la même ligne de métro, mais c'est déjà toute une organisation à Paris, faire en sorte que les agendas et, surtout, les désirs s'accordent. Elle est débordée, tout le temps, c'est le maître mot, celui qui revient de manière obsessionnelle, dans les SMS ou les e-mails nombreux que nous échangeons avant de réussir à trouver une date. L'Actrice vit seule dans un appartement dont nous nous contenterions parfaitement Frédéric les enfants et moi, avec une panoplie de gens pour s'occuper d'elle, de son ménage, de ses courses et même de l'arrondi de ses ongles d'orteils, une pièce entière qui lui sert de dressing et une autre pleine de rayonnages de chaussures. Elle se lève à midi mais elle est débordée, épuisée, « Paris, une cadence infernale, un stress, ma chérie ! » Au fond, ce qu'elle aime vraiment, prétend-elle, c'est la campagne.

Elle a posé son téléphone sur la table à côté de ses gants. Il y a quelques années, il n'y a pas si longtemps, quand on se retrouvait toutes les deux dans ce même bar, sur ces mêmes fauteuils en velours carmin, elle prétextait un coup de fil important. Quelqu'un devait la joindre à un moment ou à un autre. Elle ne pouvait préciser ni qui ni quand mais c'était suffisamment capital pour justifier entre nous la présence de l'indispensable objet qui finissait obligatoirement par sonner, très fort, même si ce n'était jamais l'appel escompté, présence qui n'était pas aussi démocratique qu'aujourd'hui et frôlait alors le snobisme ou le ridicule, moins dans ce bar, il est vrai, qu'ailleurs. Au tout début c'était d'ailleurs plutôt chez elle qu'on se voyait, car l'Actrice, avant de devenir une tabagique invétérée, était une ennemie acharnée de la cigarette et quand il était encore permis de s'en griller une dans les lieux publics elle fuyait tous les endroits enfumés aussi violemment qu'elle traque aujourd'hui avec une paranoïa aiguë le moindre courant d'air. « La nicotine, finalement ce n'est pas mauvais pour le timbre, mais le froid c'est le chômage assuré. Ma voix, si je perds ma voix je suis foutue », répète-t-elle en gardant son écharpe autour du cou.

« Comme d'habitude, mademoiselle ? »

C'est pour ça qu'elle aime ce bar, où j'éprouve toujours pour ma part une certaine angoisse à cause des déportés, de Robert Antelme et Marguerite Duras, de toute l'édition parisienne qui s'y donne rendez-vous, pour les serveurs qui la reconnaissent et lui rejouent sempiternellement la même scène, avec une certaine distinction et ce qu'il faut d'emphase. Dans une brasserie plus commune, le garçon lui balancerait : « Et la petite dame qu'est-ce qu'elle prendra ? »

« J'hésite à commettre une folie, il fait si froid aujourd'hui, même s'il est encore tôt, allez, tant pis, ce vin chaud à la cannelle que vous faites si bien. »

Chaque fois je me demande quel âge elle peut avoir. C'est une question que je ne suis sûrement pas la seule à me poser, c'est la question qu'on se pose généralement devant une femme qui n'a plus 30 ans et en toute objectivité pas encore 60, mais c'est carrément un réflexe devant une comédienne qui, dans la vraie vie, est toujours plus petite, moins fine, moins grandiose, plus marquée, plus fragile et beaucoup moins jeune que sur scène. Pour cette raison, bien plus que par crainte d'être reconnue, elle arbore des lunettes de soleil, même à l'intérieur et en plein hiver, alors que le ciel est bien parti pour rester toute la journée bas et baudelairien, de grosses lunettes aux verres à demi teintés qui lui mangent quasiment la moitié du visage, du haut des pommettes aux sourcils. C'est un détail qui m'a toujours effrayée chez l'Actrice, ses sourcils, je suis contente de ne pas les voir. Elle les épile intégralement et les redessine. Ma grand-mère faisait cela aussi, de manière très discrète, façon Marlène, ce qui me semblait le comble du raffinement quand j'étais petite. C'était une autre époque. L'Actrice force le trait à outrance pour qu'on les voie de loin, ses sourcils, même du deuxième balcon, même du paradis. Et c'est réussi, on ne peut pas les louper, comme deux caractères gras dans un corps de texte normal. Au théâtre on accepte la convention mais dans la vraie vie, faut reconnaître, ça fiche un peu la trouille.

Elle raconte les dernières pièces qu'elle a jouées, sans préciser l'année, sa rupture avec son agent. Elle crache sur le milieu, une vacherie ou deux à voix basse sur une consœur retouchée de partout et incapable de jouer sans oreillette. C'est son grand sujet d'énervement ces derniers temps, les actrices de cinéma qui se piquent de faire du théâtre pour qu'on les considère et ne sont pas foutues de retenir trois répliques, et exigent des cachets exorbitants, et se paient les plus belles salles, et racolent à moitié dénudées sur les affiches, et attirent le public et la critique dans de mauvais spectacles, et prennent la place des autres. Oui, prennent la place des autres, des authentiques, des pures, comme elle, issue de la rue Blanche, du cours Florent, de la Comédie-Française, sans être jamais passée par la publicité ou la télévision, à part quelques figurations au cinéma, aucune compromission, et pour qui aujourd'hui ça devient vraiment dur. Quand je lui demande quelle œuvre elle travaille en ce moment elle esquisse un geste vague.

« Et toi, ma chérie, comment vont tes bébés ? »

Mon fils a 13 ans, ma fille 5.

L'Actrice n'a pas d'enfant. L'Actrice n'a pas eu d'enfant. Je crois que je peux désormais écrire sans prendre de risque cette phrase au passé. À la grande époque pour elle du Français, quand elle alternait entre la salle Richelieu et le Vieux-Colombier, elle n'avait pas le temps d'y penser. Le sujet ne l'effleurait même pas. Le théâtre, c'était tout ce qui comptait pour elle, en faisant ronfler l'accent circonflexe sur le « a », le théââââtre c'était sa vie, la troupe, les textes et des amants de passage. Le soir, un petit groupe l'attendait à la sortie des artistes, des gens qui patientaient de longues minutes qu'elle s'extirpe de sa loge pour lui soutirer un autographe, lui offrir des lis qu'elle laissait plus tard nonchalamment à la serveuse émue du restaurant où elle partait dîner, tard, en bande, *souper* comme elle disait. « Rien de meilleur qu'une bonne soupe après trois heures d'alexandrins, et une coupe de champagne, ou deux. Ou trois. » En ces temps-là il y avait toujours quelqu'un pour lui tenir compagnie. Elle aimait la vie nocturne, elle a toujours aimé la nuit, peut-être un peu trop. Mon fils venait de naître et il y a eu un moment où on s'est un peu perdues de vue, l'Actrice et moi, elle ne voulait pas me déranger avec le bébé, prétendait-elle sans jamais l'appeler par son prénom, juste *le* bébé, article défini désignant une réalité d'espèce, une catégorie générale. Après elle a dit *les* bébés, ou *tes* bébés, et aussi « pense à tes livres ma chérie, n'oublie pas, tes livres, c'est important. C'est le plus important », se retenait-elle d'ajouter.

Elle porte un jean, des chaussures de sport et un pull de montagne. À Paris, le style décontracté fait fureur, du moins quand il cohabite avec un certain luxe, c'est le *casual chic* si prisé des magazines féminins, la semi-tenue de sport flanquée de lunettes Chanel et d'un sac Dior, à ne pas confondre avec le jogging usé qu'on enfile pour faire ses vitres au début du printemps. Chez l'Actrice, c'est bizarre, il y a un truc qui ne colle pas. Est-ce à cause des costumes de scène, ces robes merveilleuses, de bal, de soirée, dans lesquelles je l'ai vue tant de fois virevolter, des tenues moins flamboyantes mais très élégantes, jamais négligées, sans lesquelles elle n'apparaissait jamais en public, y compris chez elle lorsqu'elle recevait soi-disant en toute simplicité ? Ou tout bonnement à cause du temps qui passe, qui a passé, et contre lequel nous croyons à partir d'un certain âge avoir gagné le combat en arborant les vêtements d'une génération qui n'est pas la nôtre ? L'adolescente se hisse sur des talons de 12 cm tandis que sa mère ose le trou au genou et le petit blouson en cuir.

L'Actrice porte un jean. Maintenant que son téléphone commence à moins sonner. Maintenant que plus personne ne l'attend à la sortie des artistes d'où, de toute façon, elle ne sort pas.

« Je vais t'avouer une chose, j'ai toujours détesté les lis, à cause de l'odeur, ça me fichait mal à la tête. Ça marche bien pour toi, tes livres, j'ai vu ta photo dans *Elle* je ne sais plus quand. »

Elle termine son vin chaud, se redresse au moment où le pianiste au fond entame un autre set.

« Et puis merde, j'en reprendrais bien un deuxième. Tu ne veux pas m'accompagner ? *Régulation du trafic*, non vraiment, tu comprends ce que ça veut dire, toi ? Moi ça me fait penser à un truc sexuel, contraception, procréation, contrôle des naissances... »

Elle s'étrangle dans sa tasse. « C'est la cannelle, la cannelle », glousse-t-elle. Elle en perd ses lunettes, elle rit, avec les innombrables ridules qui encerclent ses yeux, avec ses sourcils de folle. Et je ris aussi, pour qu'elle ne soit plus seule et parce qu'elle me fait un peu peur, l'Actrice, et que je la trouve belle.

Entracte

Le serveur nous désigne une table minuscule coincée contre un mur lézardé de fausses poutres. L'endroit est tout petit, bondé. C'est très bruyant. Pourquoi a-t-il si bonne réputation ? Il y a toujours des groupes qui font le pied de grue devant, dans l'attente qu'une place se libère. Je ne suis pas très patiente. Et me voir obligée de moisir pendant de précieuses minutes sous le regard comblé de dizaines de personnes attablées, à 21 h un soir en semaine, juste pour avoir le droit de m'asseoir devant un plat de pâtes, avec sa feuille de basilic, facturé au prix fort, ne constitue pas un élément indispensable à mon épanouissement intérieur, et pas davantage la preuve indiscutable que j'ai réussi ma vie. Tout ce que je demande, c'est de pouvoir dîner tranquillement en tête à tête avec mon homme. Mais je suis aussi très curieuse de nature. J'ai proposé à Frédéric d'essayer.

Heureusement, j'avais réservé.

On vit dans un quartier de Paris autrefois sulfureux et devenu ces dernières années, grâce aux aléas tordants de la mode, un des plus en vue, « *trendy* » ou « *hip* », avec bars à sourcils, boutiques de confitures 100 % bio, comptoirs à thé vert avec financiers assortis, je parle de la pâtisserie, même si c'est aussi devenu un quartier de traders et de courtiers, et inévitables macarons présentés en vitrine, sous cloche, telles des pierres précieuses. Les restaurants ont poussé comme des champignons. Il s'agit pour la plupart de locaux minuscules avec un nombre de tables impressionnant au mètre carré et un petit périmètre ridicule sur le trottoir qui offre aux clients désireux de le faire, et ils sont nombreux, le luxe inouï de manger dehors, serrés comme des sardines sur des chaises en aluminium, et cernés de toutes parts par des fumeurs chroniques, à un mètre des voitures, des motos, des bus qui défilent sans discontinuer dans un vacarme étourdissant. Je n'ai jamais compris l'engouement des Parisiens pour les terrasses. À la perspective de me retrouver toute une soirée à côté de quelqu'un qui raconte sa vie, son œuvre, son cancer, ou hurle dans son téléphone, je préfère sans hésitation relire un bon vieux Simenon dans mon lit les orteils en éventail pendant que le vernis sèche. Mais je ne critique pas. Chacun ses goûts. Il y a des gens qui aiment le bruit. Quant à Frédéric, je sais qu'il supporte de moins en moins les trentenaires satisfaits, à poussette et barbe de deux jours, en short et en tongs dès qu'il fait beau, qui constituent désormais l'essentiel de nos voisins du haut 9e. Il aime l'élégance. Il se sent décalé. Tout ce qui est tendance généralement le fait fuir.

En résumé, ce soir, on a décidé, l'un et l'autre, de produire un effort.

Aucune déception, le personnel est à la hauteur. Les jeunes gens qui servent portent tous des jeans larges à taille basse, avec baskets, tee-shirts aux logos insolites, et des cheveux passablement hirsutes qui m'auraient valu les foudres de ma grand-mère si j'avais osé me présenter décoiffée ainsi devant elle. L'un d'eux prend notre commande, tout en dialoguant avec un autre à l'autre bout de la salle. Il répond « ouais », « impec », « ça roule » à quelques-unes de nos questions. On ne peut pas lui reprocher d'être antipathique, même s'il n'a pas fait une école d'hôtellerie. Il finit par aboyer notre commande en direction de la cuisine.

À la table collée derrière la nôtre, il y a par malchance un groupe de six. Ils parlent très fort, et un des hommes n'arrête pas de se lever, en heurtant ma chaise chaque fois. À l'évidence il est très important pour lui que les autres le regardent et l'écoutent, ce qu'ils sont bien obligés de faire, comme nous tous, quand il se met debout. Il est photographe, c'est un artiste, il le revendique si fort que nul ne peut l'ignorer. Sa copine, qui semble être la fille assise à côté de lui, est comédienne, plusieurs fois on l'entend évoquer son « rapport à la scène », comme elle dit. J'entame avec Frédéric une conversation sur le hasard et le temps. Frédéric aime bien revenir sur l'époque de notre rencontre, trouver *a posteriori* les raisons qui nous ont poussés l'un vers l'autre, souterraines et ataviques, et qu'on ignorait alors, bien entendu. Frédéric est en analyse depuis dix ans. Son interprétation, c'est que nous sommes tous les deux exilés et rescapés de nos familles respectives, chacun à sa manière. À la table d'à côté, ils en sont déjà à leur deuxième bouteille de vin avant même d'avoir commandé. Le photographe clame qu'il assume complètement sa condition d'artiste, de libre penseur. Il n'en a rien à foutre des autres, explique-t-il, d'ailleurs puisque c'est comme ça il allume une cigarette, « plus personne n'a de courage aujourd'hui, fait chier pays de dictature de merde ».

Nos plats arrivent. Le serveur tente de se contorsionner jusqu'à nous. En vain. D'autres clients se sont installés, on a dû rajouter des couverts près des nôtres. Comme il est désormais impossible d'accéder à notre table, le serveur me tend nos assiettes par-dessus la tête d'une fille qui a l'air de trouver ça drôle, puis la bouteille d'un vin de pays mal débouchée, qu'on se sert tout seuls Frédéric et moi. J'avais bien compris qu'il ne fallait pas attendre de sommelier. « Vous ne pouvez pas fumer à l'intérieur, monsieur, lance-t-il de loin au photographe, ça gêne les autres personnes. » Mais les autres personnes ne voudraient pas passer pour réactionnaires dans un endroit aussi cool, elles gagnent de l'argent, certes, mais si elles ont justement choisi de vivre dans un quartier comme celui-ci c'est pour montrer combien elles ont l'esprit large. « Si on empêche les artistes de fumer maintenant. » Le photographe s'en rallume une.

« Tu avais deviné toi qu'on s'aimerait autant ? » Ce que j'aime bien chez Frédéric c'est son côté obsessionnel. Mille fois déjà on a abordé ce sujet, mille fois il m'a posé cette question, et systématiquement dès qu'on dîne ensemble au restaurant, mais ça ne fait rien. J'attaque mes raviolis à la truffe et vais lui répondre que je ne suis pas certaine. J'étais très attirée par lui mais incapable à l'époque de mesurer la force de cette attirance et tout ce qu'elle entraînerait dans son sillage. Le contexte était différent, je n'avais publié qu'un livre et n'avais pas encore rencontré l'éditeur qui changerait ma vie. Frédéric va me dire qu'à l'inverse il le savait, qu'il l'avait compris et c'est pourquoi il avait tant essayé de résister et s'était évertué à prétendre le contraire. Il va me rappeler des épisodes précis des débuts de notre amour quand nous

nous donnions des rendez-vous magiques, au milieu du pont de l'Archevêché, dans la galerie de Valois du Palais-Royal, devant *La Porte de l'Enfer* du musée Rodin ou la tombe de Stendhal au cimetière de Montmartre. « Tu te souviens de l'épitaphe en italien qu'il a lui-même écrite, dit-on ? ARRIGO BEYLE. MILANESE. SCRISSE. AMO. VISSE. » Et nous allons nous accrocher à eux, refaire le parcours pour oublier le photographe qui fume et vocifère à un mètre de nous que personne ne lui dicte sa conduite, qu'il n'a de comptes à rendre qu'à son art. Il a un bermuda, des tongs et une barbe de deux jours. J'ai très peur qu'à un moment Frédéric ne se lève à son tour et ne lui casse la gueule.

Je renonce à héler un serveur pour demander du parmesan et du poivre. « Dans ta famille, il s'agit d'un véritable exil géographique, tu es une fille, une petite-fille d'émigrés, dans la mienne c'est un exil financier, un naufrage, dit Frédéric, mais dans ton cas comme dans le mien les lieux d'origine ont été perdus, les racines arrachées, on est des apatrides. C'est ça qu'on a reconnu l'un chez l'autre quand on s'est rencontrés, l'instinct de survie, c'est passé vite, dix ans, c'est fou. » Heureusement que le vin n'est pas bouchonné, le temps de changer la bouteille, on aurait déjà terminé de dîner. Le photographe est en train de se faire sermonner par ses amis qui l'ont forcé à s'asseoir et portent tous des tenues légèrement excentriques, voyantes, pour bien montrer qu'ils ne travaillent pas dans une banque, ce sont des rebelles. Ils lui expliquent qu'il doit impérativement baisser d'un ton et se calmer sinon ils vont se faire mettre à la porte du restaurant et c'est dommage parce qu'ils passent une si belle soirée, n'est-ce pas qu'ils passent une belle soirée, alors ce n'est pas la peine de tout gâcher, même s'ils l'adorent et sont d'accord avec lui il n'y a plus de liberté dans ce pays.

On ne prendra pas de dessert. Comme Frédéric est manifestement dans de bonnes dispositions et qu'il y a au fond peu de risques qu'il s'énerve, je lui chuchote : « Ce mec à gauche est totalement exaspérant, tu ne trouves pas ? » « Une caricature, répond Frédéric. Qui a besoin d'exister et de le faire savoir. Parce que dans la vraie vie, ça ne doit pas être marrant tous les jours. On ne gagnera jamais contre eux, tu sais. Ils sont plus nombreux. Il faut résister au temps, à l'usure, c'est ça le vrai combat. S'aimer comme au premier jour, s'aimer plus fort qu'au premier jour. » Je croise par miracle les yeux du serveur et lui fais signe de nous apporter l'addition. Je n'avais pas remarqué qu'il y avait aussi une musique en fond sonore, des sons électroniques et très rythmés, rien à voir avec la petite phrase musicale qu'on entend souvent tourner en boucle dans les cantines asiatiques. Alors que Frédéric et moi sommes réfugiés chacun dans nos pensées, le garçon se présente avec l'addition et nous pose la question désormais fatale dans tous les restaurants, cerise sur le gâteau, vertige final : « Ça a été ? »

Frédéric me sourit. « Si ça a été, c'est que ce ne sera plus. Et si ça n'est plus, c'est que ce fut. C'est bien plus philosophique qu'il n'y paraît. » Il m'aide à passer ma veste et on quitte le restaurant enlacés, sans un regard pour la table d'à côté.

Chloé, acte II

Souvent, au cours des derniers mois, elle s'est surprise à attendre, voire à désirer, de toutes ses forces, ce moment. Elle n'essaie même pas de me le cacher, c'est l'une des premières choses qu'elle me dit ce matin où, pour la première fois, on a une vraie conversation toutes les deux. Elle en est arrivée à compter les jours, à les barrer un à un dans sa tête. Elle ne l'aurait avoué à personne d'autre, parce que les gens ne l'auraient pas comprise et surtout l'auraient regardée d'un sale œil, et c'est important pour elle le regard des gens, elle n'arrive pas à s'en affranchir, mais elle se projetait avec une facilité déconcertante, coupable, jusqu'à ces semaines d'août où elle pourrait s'octroyer une grasse matinée tous les matins, lire dans son lit aussi longtemps qu'il lui plairait, traîner en tee-shirt dans l'appartement silencieux, volets entrebâillés, les fesses à l'air, le cheveu gras, sans maquillage, déjeuner à pas d'heure.

Elle se tenait, désarmée, devant l'école élémentaire, à la fin de l'été. J'étais venue consulter les informations affichées sur la rentrée, la liste des fournitures demandées pour les classes de CP. Elle s'est adressée à moi la première. « C'est vous qui êtes écrivain, non ? » Alors elle m'a tout raconté.

Elle s'était organisé un programme d'enfer. Elle irait au cinéma en plein après-midi, s'accorderait tous les jours le bonheur d'un café allongé en terrasse au soleil, retrouverait une amie pour aller voir une exposition, ne s'interdirait rien, pas même un tour à Paris Plages. Elle cèderait au moindre de ses caprices, y compris les plus farfelus, pourquoi pas un *mojito* dans un bar d'hôtel à une heure tardive de la nuit. Elle adorait

Paris l'été, plus exactement elle faisait partie de ces nombreux Parisiens qui, parce qu'ils ne peuvent pas en sortir, prétendent adorer Paris l'été. « Il fait beau, il n'y a plus personne », même si parfois il fait très moche et s'il y a toujours un monde fou. Elle n'aurait aucune contrainte horaire, d'ailleurs elle rangerait sa montre dans le tiroir de sa table de chevet. Pour une fois dans l'année elle jouirait de tout son temps, pour elle exclusivement. Elle consulterait les horaires de piscine, reprendrait la gym. De multiples possibilités s'offraient à elle, elle n'aurait que l'embarras du choix. Ça passerait vite.

Elle se disait que le soir, elle sortirait avec des amis. Elle en trouverait bien qui ne seraient pas encore en vacances. Ce serait si bon d'être libre ainsi de ses mouvements, de ne pas être obligée de tout organiser, planifier, repas, bains, baby-sitter, peut-être même qu'elle irait danser un soir, ça faisait si longtemps que ça ne lui était pas arrivé. La dernière fois qu'elle avait mis les pieds dans une boîte de nuit, c'était pendant son voyage de noces, un été justement, à Ibiza, et s'ils l'avaient fait alors, son mari et elle, c'était pour ne pas avoir l'air coincé, car on ne va pas à Ibiza pour rester dans sa chambre la nuit, même en lune de miel. Mais ils ne s'étaient pas sentis très à l'aise, ni l'un ni l'autre, même s'ils avaient fait semblant, et qu'il leur avait fallu quelques années pour comprendre que ce n'était pas seulement à cause des autres.

Elle sourit en disant cela. « Je peux me permettre d'être franche avec vous, vous êtes une artiste, vous comprenez. Au fait, moi c'est Chloé. »

À Paris, Chloé n'est jamais allée en boîte. Paris *by night*, les folles nuits parisiennes réputées dans le monde entier, les people qu'on voit dans les magazines, Chloé ne sait pas ce que c'est. C'est une femme brillante, intimidante, sa carrière a vite démarré, elle a tout misé dessus. Les avocats ou les juges qu'elle fréquente sont plus du genre à s'écrouler juste après dîner, harassés de fatigue, qu'à aller se trémousser devant la table de mixage de David Guetta. Entre deux dossiers, elle a à peine eu le temps d'avoir deux enfants et de perdre le désir qu'elle a pu éprouver pour son mari, ça n'a pas traîné. Elle ne rattraperait pas le passé. Chloé n'était pas dupe de cela, mais cet été elle avait cru possible de ralentir la marche des années. Elle s'était mise à fantasmer : danser, pourquoi pas, en buvant des cocktails, en essayant la coke, juste une fois. Toutes ces choses qu'elle n'avait pas eu l'occasion d'expérimenter parce qu'elle avait toujours été trop sérieuse. Même quand elle était étudiante en droit, elle ne s'était jamais réveillée un matin dans le lit d'un inconnu avec une vraie gueule de bois. Pour éviter l'humiliation de se faire refouler à l'entrée il faudrait qu'elle soit en bonne compagnie, avec des gens excentriques et importants, du sérail, que les videurs laissent passer en hochant la tête et à qui on trouve toujours une table.

Le drame, elle avait eu beau chercher, c'est qu'elle n'en connaissait pas. « Pas comme vous, qui devez côtoyer des gens bien plus excitants, Beigbeder, tout ça. » Je ne lui ai pas dit la vérité sur le milieu littéraire, je la sentais au bord de l'effondrement.

Elle s'est persuadée que c'était peut-être aussi bien de passer simplement ses soirées à lire tous les romans qu'elle avait achetés sans les ouvrir ces dix derniers mois. À manger devant la télé en regardant à la suite les douze épisodes de la première saison d'une série américaine que ses confrères lui avaient plusieurs fois conseillée et qu'elle avait fini par acheter. « C'est fou cet engouement ces dernières années pour les séries, maintenant à la machine à café ou dans les dîners il n'est plus question de savoir si on a lu le dernier Goncourt mais si on préfère *Homeland* ou *Breaking Bad.* » Chloé ne savait pas. Elle avait sans arrêt l'impression d'avoir un train de retard.

Dans l'appartement, il n'y aurait rien à faire. La femme de ménage prenait ses congés en août, mais Chloé toute seule ne salirait presque rien, une lessive à faire tourner de temps à autre, la poussière éventuellement une fois par semaine, et encore. Les courses, la machine à laver, tout serait léger à l'extrême, pas d'objet à ranger, nul conflit à régler, aucune peur à apaiser. Elle prendrait des bains interminables, se ferait des masques, des soins, essaierait un nouveau maquillage, mettrait du vernis sur ses ongles de pied. Elle irait se faire masser. Elle se déplacerait comme elle le voudrait, quand elle le voudrait, comme elle ne l'avait plus fait depuis des années, depuis la naissance de sa première fille.

Elle avait bien anticipé que ce serait peut-être un peu étrange au début, les premiers jours, parce qu'elles n'avaient pas l'habitude, ni les petites ni elle, d'être séparées aussi longtemps. C'est Chloé qui a la garde des filles et s'occupe d'elles le soir après l'école, le mercredi et bien plus qu'un week-end sur deux à cause des nombreux déplacements professionnels de leur père. C'est elle qui organise les anniversaires, orchestre les goûters. Mais elle n'était pas inquiète, chacun trouverait ses marques peu à peu. Elle était restée en bons termes avec son ex-mari. Leur divorce s'était bien passé, « c'est presque ce qu'on a fait de mieux en quinze ans de vie commune », me lâche-t-elle avec cette impudeur si parisienne. Les enfants avaient l'air de bien s'adapter à la situation. Chloé savait juste qu'il lui faudrait éviter de se sentir coupable, de tout, de rien, d'être en vacances, de se payer du bon temps, de vivre, sans ses filles. De ne pas avoir à régler son existence, pour une fois, sur la leur. *A priori* il n'y avait guère de risques, elle en faisait assez pour les petites toute l'année, menant de front sa vie professionnelle et jonglant sans cesse avec les contraintes des parents isolés. Alors parfois elle criait, elle craquait, épuisée, rêvait de silence, de longues heures devant elle juste pour ne rien faire.

Août, le joli août est là. La ville à première vue s'est dépeuplée jour après jour de ses silhouettes pressées. Dans l'immeuble de Chloé, la plupart des occupants sont en vacances. Contrairement à ce qu'elle croyait, elle n'a ressenti aucun pincement quand les filles sont parties, pas même les premières heures. Elle n'a eu besoin d'aucune période d'accoutumance et s'est glissée sans transition dans ce nouveau rythme et cet état civil temporaire avec une aisance qui l'a stupéfaite, se délectant du grand luxe qui, soudain, lui était donné : du temps.

Au début, Chloé a respecté le programme qu'elle s'était fixé, dormant comme un loir, jouissant sans honte de tous ces petits moments de bonheur accumulés, s'étonnant même de trouver que les jours filaient beaucoup trop rapidement. « Vous voyez ce que je veux dire, n'est-ce pas ? » Quand elle se réveillait, elle avait parfois l'impression d'entendre du mouvement dans la chambre des filles, comme lorsqu'elles se lèvent avant elle le week-end et commencent à s'agiter tout en prenant garde à ne pas faire trop de bruit. Mais c'était par habitude. Les filles n'étaient pas là, elles étaient en vacances avec leur père, tout allait bien, Chloé leur avait parlé la veille au téléphone, soudain ça lui revenait. Alors elle savourait de ne pas avoir à se lever, de pouvoir rester au lit autant qu'il lui plairait, de se caresser si elle en avait envie, et même quand elle n'en avait pas envie, juste parce que c'était possible et que si elle criait un peu à la fin, personne ne risquait de l'entendre. Elle avait ensuite toute la journée pour elle et en dégustait chaque minute comme une longue session de rattrapage de luxe. Ses angoisses avaient disparu. Elle sortait pour le pur plaisir de pouvoir le faire, parce qu'il fallait à tout prix en profiter, se forçait à aller voir des films ou des expos qui, en réalité, ne l'intéressaient pas plus que ça et dont elle se serait passée sans état d'âme. Quand elle rentrait la nuit, elle balançait ses chaussures dans un coin du couloir et jetait ses habits par terre, dans l'entrée, sur le canapé, partout, exprès, pour faire désordre. Un mois, ce n'est pas si long au fond, songeait-elle, les gens en font tout un plat, elle en voyait tellement au cabinet qui paniquaient à cette idée. Ce n'était pas demain la veille qu'elle revivrait en couple.

La troisième semaine, elle a commencé à moins sortir. Elle n'avait plus besoin de voir du monde, de combler par du bruit ou de la présence la peur éventuelle de la solitude, de mettre la radio dès le réveil ou d'appeler tout son carnet d'adresses juste pour entendre des voix, elle était bien avec elle-même. Elle aurait passé la journée à regarder le plafond. Chloé s'est mise à tourner en rond dans l'appartement, elle a fait du tri dans la chambre des filles et réorganisé la grande armoire et la commode de la sienne. Elle a envisagé de repeindre la cuisine dans des tons plus colorés. Elle avait l'impression qu'elle ne supportait plus tout ce blanc au mur, les moulures, le parquet. Elle a passé une nuit sur des sites de rencontres extra-conjugales sur Internet, elle n'arrivait pas à dormir. Et au matin, elle a éclaté en sanglots devant les dessins de ses petites, aimantés sur le réfrigérateur.

« Vous qui êtes écrivain, vous savez, hein, vous comprenez ? Le premier été. Le premier été sans mes filles. » Cinq jours, une éternité encore, avant qu'elles reviennent.

Charlotte, acte III

Allez c'est parti, on pédale d'abord normalement, les mains sur les hanches. Elle surgit dans la pièce au moment où commence l'échauffement. Elle est habituée pourtant mais c'est toujours une vision étrange que cette grande baignoire avec cinq ou six femmes immergées jusqu'au ventre qui pédalent au rythme d'une musique de publicité pour voiture face à une sorte de *go-go boy* en maillot cintré et body musclé. Chaque fois, Charlotte éprouve une violente envie d'éclater de rire, fort opportunément réprimée par le souvenir du prix que lui coûtent à l'unité ses séances de *waterbike*, puisque c'est ainsi qu'on dit dans le centre à la Muette où elle se rend deux à trois fois par semaine depuis son ouverture il y a environ un an, pour se distinguer de l'*aquabike* plus commun. Elle n'a pas le temps de passer sous la douche, pourtant obligatoire comme le rappelle en lettres majuscules un écriteau à l'entrée mais généralement réglée par des sadiques sur une température bien trop basse pour la saison, quelle que soit la saison, et préfère entrer sans préambule dans le bain à 26 °C où l'attend un dernier vélo, seul au fond. Ici tout le monde est propre, et pour ce qui est des verrues et autres cochonneries plantaires, la douche n'y changerait rien et Charlotte porte de petites chaussettes en latex.

Je me tiens là, un peu en retrait, à côté du bassin, et je l'observe en prenant des notes. Je consigne tout. Entrée de Charlotte, maillot de bain noir stretch, encolure pigeonnante avec volants, bretelles spaghetti, grande marque. Hors de prix. Elle ne peut pas me voir.

Charlotte ne salue personne. Les autres participantes sont déjà concentrées sur le cours et ne lui prêtent aucune attention. Par réflexe elle adresse un léger coup de tête au coach qui la regarde prendre place sur sa selle. *On continue à pédaler normalement en ramenant les bras pliés et bien serrés devant son visage et on écarte les bras, et on serre les bras, et un, et deux, et trois, et quatre.* C'est à cause de cette idiote de secrétaire qu'elle est arrivée avec toutes ces minutes de retard et a dû se déshabiller au vestiaire en un temps record, tout ce qu'elle déteste, elle qui est si organisée, si maîtrisée, elle qui planifie tout et s'efforce de caler ses cours de *waterbike* les jours où sa pause déjeuner est plus longue, où c'est sa collègue qui rouvre l'agence en début d'après-midi. La petite dinde l'a fait patienter en ligne pendant huit minutes et trente-trois secondes exactement, comme l'a précisé l'écran de son iPhone, au son d'une version synthétiseur de la *Lettre à Élise*, le prix à payer pour décaler un rendez-vous d'orthodontiste pour son dernier fils. L'incapable avait la voix nasillarde d'un personnage des premiers Walt Disney et la prosodie syncopée des consommateurs d'antidépresseurs, « le docteur B. a / de la place seulement / en fin de journée deux jours / par semaine, les premiers / rendez-vous possibles sont / dans deux mois ». Charlotte s'est énervée : « Je ne comprends pas, avant le docteur B. était beaucoup plus disponible et on n'était pas obligé de rappeler dix fois ni d'attendre des heures au téléphone. » Avant de devenir menaçante : « Cela fait des années que je le connais vous savez, il s'est déjà occupé de mes deux autres fils, je me plaindrai auprès de lui quand je le verrai. » « Mais bien sûr / madame, n'hésitez / pas, en attendant je lui / transmettrai votre message. » Pétasse. Aujourd'hui les secrétaires parlent comme des menus automatiques. Elles répètent des formules apprises par cœur, ne comprennent même pas ce qu'elles disent. Si ça se trouve, Charlotte a failli insulter un ordinateur. Elle en tremble encore de colère.

On passe en rétropédalage, on pédale en arrière, et on ramène ses bras dans l'eau comme si on ramait. Il y a trois coachs dans le centre. Celui-ci zézaye légèrement, il est assez petit, tout en quadriceps et en adducteurs. C'est un adepte forcené du rétropédalage. Chaque fois, il se sent obligé d'expliquer que ça signifie pédaler en arrière, ce qui dans l'eau est encore moins naturel que dans l'air et exige un effort supplémentaire. Aujourd'hui, étrangement, il a troqué son maillot noir contre un boxer rose à motifs floraux, grotesque, il est peut-être gay. Charlotte ne s'était pas posé la question jusque-là, la vérité c'est que cela ne l'intéresse pas le moins du monde. Elle aimerait passer ses séances à fantasmer sur le coach dans son slip de bain mouillé à quelques mètres, les muscles tout ruisselant, ça lui changerait les idées et ferait passer le temps plus vite. Peine perdue. Nous n'éprouvons pas, ni Charlotte ni moi, le moindre début d'émoustillement envers les moniteurs de ski, les surfeurs, les vendeurs de beignets sur la plage, plutôt une sorte de compassion hautaine. Les sportifs, rien à faire, ce n'est pas notre genre. Quitte à tomber dans les amours ancillaires nous pencherions plutôt pour un jardinier ou un garde-chasse, c'est notre côté Lady Chatterley.

On se met debout, toujours en rétropédalage, et on tend un bras sur le côté. Si encore Louise était là, ensemble elles joueraient la comédie, feindraient l'émoi. Mais Louise déteste le sport. Charlotte a tenté de l'entraîner : « Allez Ginette juste une fois pour essayer, en plus il y a des cabines duo, on pourrait papoter pendant trente minutes comme si on était au café. » « Précisément, a répondu Louise, autant se retrouver directement au café, et même gourmand. » À cause de sa désertion Charlotte s'est inscrite aux séances collectives, pressentant qu'en cabine individuelle elle n'arriverait pas à se motiver et broierait du noir toute seule dans son caisson. *On tend l'autre bras.* Qu'est-ce que le coach pouvait bien penser de toutes ces bonnes femmes souvent pleines de bourrelets et de cellulite qui se trémoussaient face à lui avec l'espoir de retrouver un semblant de fermeté de la cuisse ? Le *waterbike* n'était pas du tout interdit aux hommes, il n'y avait même pas d'horaires distincts entre les deux sexes comme dans les hammams ou les onsens japonais, mais c'était inutile, depuis qu'elle venait Charlotte s'était retrouvée entourée exclusivement de *gonzesses*.

Elle aime bien ce mot, *gonzesses*. D'une manière générale elle aime bien lâcher de temps à autre un mot vulgaire et décalé dans une phrase bien tournée, ce sont ses petites subversions à elle. *On repasse dans le sens normal et on pédale debout, les mains bien au milieu du guidon.* C'est peut-être le coach, l'air de rien, qui les imagine nues les unes après les autres. Ce n'est pas bien compliqué, en maillot de bain on triche difficilement sur la taille de ses seins et la forme de son cul, c'est sans pitié. Même si les culs sont passablement immergés lors des séances, sauf en danseuse, justement. Comme elle se trouve au fond du bassin sur le dernier vélo, Charlotte bénéficie d'une vue imprenable sur les fessiers des autres participantes. La plupart du temps c'est plutôt rassurant (pour elle). En comparaison, elle est rudement bien conservée pour son âge. Je suis bien placée pour le dire. Des filles beaucoup plus jeunes qu'elle sont déjà toutes molles et dégoulinantes, même si elles trichent et enfilent un short sur leur maillot pour tenter de dissimuler ce qui ne peut plus l'être. Néanmoins Charlotte, ça lui met quand même un petit coup derrière la nuque, parce que malgré tous les sports qu'elle pratique depuis des années pour entretenir son corps, malgré sa silhouette irréprochable et ses jambes que beaucoup lui envient, Julien, c'est avec une fille comme ça, jeune et flasque, qu'il est parti. *On se met en position de sprint, les avant-bras bien calés, on décolle les fessiers, attention on va accélérer pendant trente secondes.*

Pas question de penser à Julien. Ce n'est ni l'heure ni l'endroit. Inutile de se torturer, c'est un mal pour un bien. Depuis des années, ce n'était plus vraiment ça, des apparences, du vernis social. *Top !* « À un moment il faut arrêter de se mentir, regarder la vérité en face, retrouver une certaine exigence, refuser de se laisser enterrer vivant. » *Cinq secondes !* « Nous étions devenus des colocataires », avait dit Julien d'un ton las. Recommencer. On a tous le droit, et même le devoir, de recommencer. *Dix !* Facile pour lui, recommencer chez un homme consiste à plaquer la femme avec qui il est resté marié pendant vingt ans et qui lui a donné trois enfants, *Quinze*, pour une terriblement plus jeune, avec qui il refera un ou plusieurs autres enfants, au moment où la première vient d'atteindre la ménopause. *Vingt !* Les hommes sont des salauds, ce n'est pas nouveau, tout le monde le sait. Quand elle pense à tous les efforts qu'elle a produits *vingt-cinq !* ces dernières années pour éviter le délitement, Charlotte est écœurée. Sa vigilance à partir de 40 ans, sport à haute dose, *Trente ! On revient en danseuse pour récupérer un peu avant une deuxième accélération*, zéro pain zéro charcuterie zéro sucre, coiffeur visagiste une fois par semaine, renouvellement soigné de la garde-robe exclusivement féminine et originale, zéro jean zéro ballerine zéro survêtement. Elle avait évité tous les écueils du quotidien, ne s'était jamais laissée aller, toujours apprêtée, savamment maquillée, quand Julien rentrait le soir étendre ses grandes jambes sous la table. *Attention on se remet en position de sprint, on cale bien ses bras.* Elle qui n'avait cessé de mettre Louise en garde, *cette fois on va accélérer une minute, trente en sprint, trente debout.* « Ginette tu devrais faire attention, tu te négliges, tu te fous de tout, un jour tu risques de le payer cher. » Louise avait une belle culotte de cheval et elle s'habillait comme un sac. Ils en riaient assez avec Julien quand ils dînaient chez elle. « Ta copine, tout de même, on finit par se demander si elle ne le fait pas exprès, son côté bourge débraillée c'est marrant au début, mais à la fin ça lasse », disait Julien. L'invraisemblable c'était qu'à la fin, c'était elle, Charlotte, qui s'était fait lourder. *Top, c'est parti !*

Les premiers jours, elle a pensé qu'elle avait deux options : arrêter de s'alimenter ou avoir une réaction désynchronisée. *Cinq secondes !* À vrai dire, la perspective de jouer la carte dépression à fond l'a sacrément tentée. Il y avait des avantages certains : du jour au lendemain, elle serait entourée de gens forcés de la surveiller, *Dix !* de l'interroger, de l'entourer d'attentions, de la ménager et de percevoir enfin en elle cette part de mystère insaisissable qui lui avait toujours fait défaut, *Quinze !* Bref elle serait pendant un temps le centre du monde. Tout le quartier parlerait d'elle. Les gens la montreraient du doigt avec un mélange de crainte et de respect. *Vingt !* Elle perdrait son travail, la garde de ses enfants. Que du bonheur. On la mettrait sous perfusion. Elle serait gavée de médicaments et graviterait en permanence dans un état euphorisant, protégée du monde et de ses vilenies, *Vingt-cinq !*, pourrait se consacrer exclusivement à sa singularité, se découvrirait peut-être un petit talent artistique. *Trente ! On passe en position debout et on accélère toujours !* Mais cela n'avait aucune importance, le moindre de ses gestes de toute façon serait interprété comme singulier. Ses fils la regarderaient différemment. *Trente-cinq !* « Trop kiffant d'avoir une mère aussi chelou. » Julien porterait peut-être sur elle un jugement différent. Mais l'incertitude du lieu où on la coffrerait, ajoutée à celle de ne pas forcément jouir d'une chambre individuelle, l'a fait hésiter. *Quarante !* Charlotte n'aime que les établissements privés. Elle n'était pas sûre de pouvoir imposer ses exigences. *Quarante-cinq !* Elle a donc choisi la joie. Démesurée, outrancière. Julien la quittait ? Génial ! Elle allait se mettre à fumer et à boire. *Cinquante ! Allez, il reste dix secondes on fait l'effort toujours à fond debout ! Sept ! Six ! Cinq ! Quatre ! Trois ! Deux ! Un ! On s'assoit sur sa selle et on pédale normalement pour récupérer, les mains relâchées dans l'eau. Et on se met en rétropédalage, on pédale en arrière, normalement.*

Ça le reprend, le dingue du rétropédalage. Il doit y avoir une raison, ça fait peut-être travailler d'autres muscles qui ne fonctionnent qu'en marche arrière, je l'ignore. Charlotte s'était dit qu'elle irait en boîte, dans des clubs de vacances *all included* à Cuba ou au Maroc, prendrait des amants, plus jeunes tant qu'à faire. L'époque était aux « *cougars* », elle avait des dispositions.

On repasse en position de sprint et on va chercher loin devant avec un bras dans l'eau comme si on nageait le crawl. Elle ferait jouer des relations pour être invitée au Festival de Cannes et d'une manière générale dans tous les festivals de cinéma du monde, *On change de bras*, ce qui serait beaucoup plus rigolo que les défilés haute couture et le court central de Roland-Garros où elle s'était ennuyée à mourir pendant plus de vingt ans aux côtés de Julien après avoir déjeuné de petites choses infectes, mais bien présentées, en compagnie de ses collègues au village VIP. *Maintenant tout en pédalant on va descendre trente fois entre sa selle et son guidon*. Elle ferait l'impasse sur la cuisine, laisserait ses fils se débrouiller tout seuls. Ils étaient assez grands maintenant, cela faisait longtemps qu'ils n'avaient plus besoin de baby-sitter quand elle sortait avec Julien. Ils étaient assez grands, totalement ingrats, et elle avait largement donné. Trop de sacrifices.

Finalement tout ce qu'elle avait fait, c'était passer au surgelé. À part Louise, Charlotte n'avait pas d'amis. Le soir elle mettait au micro-ondes des plats qu'elle mangeait devant la télé. Elle ne tenait plus compte du nombre de calories ni de la valeur diététique. *On va faire une petite série d'abdos, les pieds calés dans le guidon, les mains près des tempes, on expire bien quand on remonte.* Elle avait trouvé sur le câble une chaîne extraordinaire, avec d'interminables plans fixes de paysages de plages paradisiaques et de bonaces. C'était comme regarder un aquarium, mais en beaucoup plus grand, ça lui faisait un bien fou. Il y avait une voix très calme qui parlait et donnait des conseils pour détendre les orteils un par un et relaxer les paupières. *Allez, on se remet sur sa selle et on repasse en rétropédalage, on pédale à l'envers.* Avant Charlotte n'aurait jamais pensé que cela pouvait exister. Elle obéissait et faisait les exercices devant sa télé, avachie sur son canapé quadriplace. Il avait fallu que Julien la quitte pour qu'elle découvre les vertus du zen. « Heureusement que tu as ton travail, disait Louise. Au moins ça te tient, ça donne un sens à tes journées, un cadre. Tu imagines si ça m'arrivait à moi ? En plus tu fais un boulot sympa. » Louise avait raison, de manière générale l'ambiance est plutôt joyeuse à l'agence. *On se remet dans le sens normal et on fait une dernière série les bras bien tendus avec de petits battements*. C'est même un état intrinsèque dans son travail, le bonheur, une condition *sine qua non*. Les clients paient assez cher. Des fortunes. Le plus beau jour de leur vie. Des roses blanches par dizaines, des dragées. Le riz aussi, ça marche bien ça, *On descend de son vélo pour faire des étirements*, le riz qu'on jette à la sortie de l'église, c'est un truc typiquement français qui plaît beaucoup, qui fait fureur même, avec la pièce montée, la balade en péniche et le restaurant de la tour Eiffel. L'agence de Charlotte est spécialisée en organisation de mariages japonais à Paris.

Elle travaille beaucoup. Les demandes arrivent par centaines. D'ailleurs c'est passé vite, il faut déjà qu'elle y retourne. *Voilà c'est terminé pour cette séance de waterbike. Merci à toutes, bonne journée et à une prochaine fois.*

Rétropédalage, dit-elle.

Caroline, acte II

Le dialogue qui suit a eu lieu un mercredi après-midi, il y a quelques années. Je l'ai écrit de mémoire. J'avais donné rendez-vous à Caroline dans un square où j'avais emmené ma fille encore très petite alors. Nous étions assises toutes les deux sur un banc devant le bac à sable où une bonne dizaine d'enfants s'échangeaient joyeusement leurs bactéries. J'ai dix ans de plus que Caroline, elle a toujours aimé se confier à moi comme à une sœur aînée. C'est ce genre de rapport qu'on a depuis des années, depuis qu'elle est arrivée à Paris. Il faisait beau. C'était en 2011, si je me souviens bien.

— Sexuellement ça se passe comment entre vous ?

— Bien. Très bien. Enfin, normal quoi. Je veux dire, pour un couple marié depuis... un moment.

— Combien ?

— Sept ans tout de même. Non, six. Cinq. Bientôt cinq.

— Je parlais de vos rapports par semaine. Deux fois ? Trois fois ? Un soir sur deux ?

— Ah, ça... Dans ces eaux-là. Environ. C'est difficile à préciser, je ne tiens pas les comptes. En général c'est plutôt le week-end parce que la semaine Stéphane est crevé. Il rentre tard du cabinet, le temps de dîner, de débarrasser, il n'a plus d'énergie.

— En résumé, quand vous faites l'amour, c'est le samedi soir.

— Oui. Mais attention pas seulement. D'autres soirs aussi parfois. C'est déjà arrivé.

— Et tu aimes ça ? Tu éprouves du plaisir ?

— Beaucoup. Si j'arrive à me concentrer. Mon problème c'est la concentration.

— Vous êtes inventifs ? Vous variez les positions ?

— Pas... trop. En réalité on est plutôt classiques Stéphane et moi. Tu sais, on vient de province.

— Missionnaire ?

— Quoi ?

— La position. Celle du missionnaire ? C'est la plus utilisée dans notre civilisation. L'un des deux partenaires est couché sur le dos, généralement la femme, cuisses écartées, pendant que l'autre s'allonge sur lui.

— C'est ça. Ce que tu dis. Je cherchais le mot. C'est ce que je préfère.

— Vous avez essayé l'inverse ? Ton mari allongé et toi sur lui.

— Bien sûr. Mais... Comment dire. J'ai le ventre qui plisse et les seins qui balancent dans tous les sens, comme sur un trampoline ou un tape-cul... Pardon, une balançoire. Tu vois le tableau. Je trouve ça ridicule. Voilà.

— Tu n'aimes pas tes seins ?

— Je… Non. Ils sont trop gros, pas assez fermes, ils tombent déjà. Tu te rends compte, à mon âge, et sans enfant.

— Et à genoux ? En levrette ? C'est souvent la position où le plaisir féminin est le plus intense. Où la pénétration peut être plus profonde.

— Comme tu y vas. Vous les écrivains vous êtes désinhibés. Non, non. Ce n'est pas mon truc. À quatre pattes, comme les animaux, avec les fesses que j'ai…

— Vous n'avez jamais pensé à recourir à des éléments extérieurs, type *sextoys* ?

— …

— Vibromasseurs. Godemichés. Canards vibrants. Dés coquins. *Geisha plug*. *We-vibe*. *Smartballs*. *Bootie*. Anneau pénien.

— Tu es folle. Ce sont des trucs de Parisiens. En province on est moins portés sur les accessoires, on est plus simples. On n'a pas les moyens.

— Je croyais que vous habitiez à Paris depuis des années. De toute façon, on en trouve même aux 3 Suisses.

— Je l'ignorais.

— …

— Pour les 3 Suisses.

— …

— Bon. La vérité, c'est que Stéphane… parle. Beaucoup. Quand on fait l'amour. Pendant… l'acte. Le samedi soir.

— Comment ça, il parle ?

— Sans arrêt. Ça l'excite, j'imagine. Mais moi, comme je t'ai déjà dit, j'ai besoin de me concentrer et ça me perturbe. D'autant que, le reste du temps, ce n'est pas vraiment un bavard, mon mec. Le soir quand il rentre il ne raconte pas ses journées, il prétend qu'il n'a pas grand-chose d'intéressant à dire. Pourtant, quand on est avocat, on en voit nécessairement des vertes et des pas mûres.

— Et qu'est-ce qu'il te dit ?

— Quand on fait l'amour ? Des cochonneries, des trucs insultants, qui ne lui ressemblent pas du tout. Stéphane c'est quelqu'un de bien élevé, très poli, le genre qui articule et fait les liaisons, tu vois. Coincé.

— Comme quoi ?

— « Ça te plaît d'avoir mon gros gland dans ta bouche de petite salope. Ma grosse bite bien dure, tu aimes ça catin », etc. Il décrit ce qu'on est en train de faire. Ce qu'il voit.

— Et toi ? Toi aussi tu es dans l'instant présent ou tu as besoin de te projeter ailleurs ?

— Ailleurs.

— Où ?

— Je pense à des images porno, mais qui n'ont rien à voir avec Stéphane et moi. Genre bas de gamme, bien gras. Des filles qui se font prendre par tous les trous. N'importe quoi. Même des mecs qui s'enculent.

— Et ça trouble tes fantasmes quand ton mari te parle ?

— Forcément. Ça ne te troublerait pas, toi ? Je perds le fil. Je repère un moustique au plafond et c'est mort. On a des moustiques dans l'appart à cause des plantes aromatiques que j'ai mises sur le balcon. Un soir il y en a un qui s'est posé sur l'épaule de Stéphane alors qu'il était sur le point de jouir et me disait des obscénités, tu imagines ? J'entendais Stéphane qui haletait près de mon oreille et j'avais les yeux fixés sur le gros moustique, il était là, à quelques centimètres. Je me suis retenue de toutes mes forces de l'écraser pour ne pas gâcher la soirée et le plaisir de Stéphane qui me traitait à ce moment-là de garce et de suceuse de bite. Après, généralement c'est le silence. Comme si Stéphane avait honte. Ou bien c'est qu'il n'a plus rien à dire, tout simplement. Au fond, il ne me parle jamais autant que lorsqu'il me baise. Mais ce qui me gêne le plus, c'est que j'ai l'impression que ce n'est pas à moi qu'il s'adresse. Plusieurs fois j'ai même cru qu'il m'avait appelée Chloé.

— Chloé ?

— Laisse tomber. C'est le nom de sa chef, une blondasse... Aucun intérêt. Mais Stéphane nie catégoriquement. Il dit que je déraille.

— Tu te masturbes quelquefois ?

— Quand je fais la cuisine.

— En pensant à ton mari ?

— Jamais.

— Stéphane n'est jamais le sujet ou l'objet de tes fantasmes ?

— Non.

— Il ne l'est plus ou il ne l'a jamais été ?

— Je ne me rappelle pas. C'est grave tu crois ? Mon psy dit que c'est naturel, inévitable, que le quotidien tue le désir, au bout de quelques années la femme a besoin de changer de partenaire. On perd sa part de mystère, si tant est qu'on en a une, on s'éteint dans le couple. Au bout d'un temps on accomplit tout machinalement mais il n'y a plus de batterie à l'intérieur. Il paraît que c'est pire encore quand on a des enfants. Dans un sens, heureusement qu'on n'arrive pas à en avoir avec Stéphane. Ce sera plus simple pour se séparer. D'après mon psy, ce n'est pas la solution, j'ai juste besoin de retrouver un peu de stimulation et le mieux ce serait de prendre un amant, tout le monde fait ça, il paraît. Mais je ne sais pas si je pourrais. Qu'est-ce que les gens sont libérés à Paris ! Et puis j'aime mon mari. Même si je n'ai plus envie de faire l'amour avec lui.

— Tu aurais envie avec d'autres hommes ?

— Je ne sais pas. J'ai pris conscience de quelque chose l'autre jour, dans le métro. Tout s'est passé rapidement mais c'était très fort. J'étais sur le quai, à Barbès, chez nous, et j'attendais la 4 pour Saint-Michel quand j'ai senti le regard de quelqu'un sur moi, un regard très appuyé. C'était un homme, sur le quai d'en face, qui attendait la 4 dans l'autre sens. Beau mec, je dois l'avouer, pantalon noir, veste en velours, un peu dandy, cheveux très bruns, petite barbe comme ils ont tous maintenant, vraiment la classe. Et ce type me regardait sans ciller avec un sourire sensuel et des yeux qui disaient très clairement « tu es belle tu me plais j'ai envie de te sauter ». J'ai fait l'effarouchée et tourné la tête mais le gars ne s'est pas découragé. Il a persisté à me regarder, et même quand son métro est arrivé, avant le mien, il est monté dedans et a continué à travers la vitre, avec son petit sourire. J'ai croisé son regard une dernière fois alors que son métro démarrait. C'était du désir à l'état brut, une véritable déclaration de désir. Ça m'a beaucoup troublée. Beaucoup. Toi tu as l'habitude, ça doit t'arriver tout le temps, mais moi non. J'ai réalisé ce jour-là que personne ne m'avait regardée comme ça depuis des années. C'est ma faute aussi tu me diras, je n'ai autorisé personne à le faire, en couple on se replie, on se ratatine, on se verrouille au monde extérieur, on étouffe toute possibilité d'autre chose. Pas la peine de regarder mon alliance, on sait d'emblée que je ne suis pas disponible, circulez y a rien à voir, alors que des filles comme, tiens, au hasard, la Chloé, elles se font siffler à longueur de temps. Elles dégagent un truc comme les animaux, un fluide, qui laisse entrevoir un espoir, tout est suggestion, invitation, fantasme, la façon dont elle touche ses cheveux pendant l'expertise, la cigarette après l'audience au tribunal. Moi plus personne ne me met la main au cul, plus personne ne me drague, ça fait belle lurette, à part deux ou trois vieux libidineux qui le font par réflexe ou par hasard et avec n'importe qui. Les hommes ont disparu autour de moi, où sont-ils, existent-ils encore ? Tu me diras si j'étais parfaitement comblée avec mon mari je ne me poserais pas la question.

— ...

— Je ne suis pas parfaitement comblée avec mon mari, si c'est ce que tu veux me faire dire, mais je ne prétends pas au luxe. Le sexe n'a aucune valeur pour moi et je pourrais très bien m'en passer. D'ailleurs je m'en passe très bien. Le problème, c'est que Stéphane y attache une importance démesurée et qu'on n'a pas trouvé d'autres moyens pour avoir des enfants, puisqu'il est contre l'adoption. Pour être franche je ne suis pas sûre d'en vouloir. Il paraît que l'accouchement ça donne des hémorroïdes et des tas de petites contrariétés pas ragoûtantes du tout mais dont on évite de parler pour ne pas faire baisser le taux de natalité. Je sais ce que tu penses, ne dis pas le contraire, « si tu ne tombes pas enceinte, Caro, hormis le fait que vous ne baisez quasiment plus avec Stéphane, mais c'est un détail, c'est surtout parce que tu fais un petit blocage ». C'est ce que tu penses et tu ne m'apprends rien, Stéphane affirme que j'ai tout le temps peur de ne pas être à la hauteur, que c'est la faute à Inès de La Fressange. Mais la vérité selon moi est beaucoup plus simple. Tu veux que je te dise ce que je crois ?

— Vas-y.

— Il y a trop de moustiques dans l'appartement.

Louise, acte II

Je suis avec elle quand l'incident se produit. C'est après un déjeuner où on a évoqué le souvenir de sa mère. Pour respecter sa volonté, ses cendres ont été jetées dans le Guadalquivir, à Séville, où elle a vécu les dernières années de sa vie, où je l'ai connue quand j'habitais là-bas moi aussi et où elle est devenue mon amie. « Il n'y a nulle part pour se recueillir, aucun lieu », a déploré Louise au restaurant. Elle a eu un court moment de gouffre, qu'elle a comblé par une cigarette sur le trottoir. Exceptionnellement, c'est elle qui est venue dans mon quartier. « En voiture, quand même, il ne faut pas exagérer. » Elle rit maintenant, elle a cette versatilité légère des riches. Elle est très consciente de sa propre caricature. « Tu m'accompagnes jusqu'au parking ? Je me suis tellement mal garée, j'espère que la fourrière n'a pas embarqué l'Audi sinon je ne te raconte pas la tête de Marc ce soir. » Elle a comme un mauvais pressentiment. Quand elle est arrivée, elle a tourné un moment avant de repérer le parking de la poste. Les quelques places de stationnement situées juste devant l'établissement étaient toutes occupées. Louise a eu la flemme de continuer à chercher, elle a laissé sa voiture là, en épi, n'importe comment.

« Je dirai que j'ai dû attendre une éternité au guichet pour envoyer un recommandé. »

On tourne à l'angle de la poste. « Et merde », dit simplement Louise. De loin, elle analyse la situation en un clin d'œil : elle bloque deux voitures dont les propriétaires esquissent de grands gestes impatients, scrutant l'horizon de tous côtés, guettant, de plus en plus furieux au fur et à mesure des minutes qui s'écoulent, l'apparition du grossier personnage qui a eu le culot d'abandonner son véhicule à cet endroit. Aussi vite qu'elle le peut, Louise se met à courir dans leur direction, clé de voiture à la main, profil bas, mine totalement contrite. Je lui emboîte le pas. Il y a un homme et une femme. Louise me confie qu'elle craint la réaction du premier. Elle s'attend à une bordée d'insultes. Les hommes au volant sont d'une vulgarité. À Paris on entend de telles horreurs sur la chaussée, comme si le simple fait de conduire autorisait les pires injures machistes. Dès qu'elle passe le Trocadéro, elle n'est pas rassurée.

« Je suis vraiment, vraiment désolée, gémit-elle en arrivant à leur hauteur, sans regarder personne, façon tragédienne grecque. Je m'en vais immédiatement. Pardon, pardon, pardon. »

Elle en fait trop, comme d'habitude, elle est au bord des larmes. La pénitence, rive droite, c'est suspect. À la place des deux autres, j'aurais aussitôt des doutes. Elle ajoute que ce n'est pas de sa faute, seuls deux guichets étaient ouverts et elle s'est retrouvée derrière un couple de retraités qui a posé des tas de questions auxquelles l'employée a paru être confrontée pour la première fois. Les entreprises d'État. Le service public. Il y aurait bien des choses à en dire mais les Français ont voté, n'est-ce pas, inutile de s'appesantir sur le sujet. Elle n'a pas commis d'infraction scandaleuse, hautement condamnable, si ? « Est-ce irréparable ? Dites-moi. » La grande bourgeoise ressurgit. Elle aurait vraiment dû faire du théâtre, c'est ce que j'ai toujours pensé. Son aplomb me sidère. J'aimerais avoir le même quand je me retrouve face à quelqu'un qui me dit tranquillement « je n'ai pas trop aimé ton dernier bouquin, je ne sais pas, je me suis senti mal à l'aise, sans doute parce qu'on se connaît ». L'homme hausse les épaules et ouvre sa portière. Pour lui, l'incident est clos. Les bonnes femmes.

Celle-là, en plus, elle a l'air d'avoir un grain. Il l'a déjà oubliée.

« C'est un peu facile tout de même. Vous vous croyez où ? »

C'est la femme. Petite, pète-sec, moralisatrice, le genre surveillante générale dans un lycée, peau grasse, points noirs aux ailes du nez, sent la transpiration en permanence, l'angoisse. Elle n'a pas bougé, fixe Louise sans ciller. Ses yeux sont pleins de haine. Elle insiste : « Tout ça pour ne pas payer l'horodateur ! »

Je vois ma Louise esquisser un léger mouvement de recul. S'il y a bien un défaut qu'elle n'a pas, c'est la mesquinerie. « Ce n'est pas ça du tout, il n'y avait pas de place, je ne suis pas d'ici, se défend Louise d'instinct… Je ne connais pas bien le quartier. » « Vous n'aviez qu'à chercher, comme tout le monde. Ce n'est pas compliqué, quand on a un minimum de civisme, de respect pour les autres, de… »

À cet instant, Louise comprend qu'elle va s'acharner, et moi, je comprends que Louise ne va pas se laisser faire. L'autre est une méchante, une rabougrie, une grise, qui l'accuserait presque de pingrerie. C'est une frustrée, une jalouse, de celles qui humilient leurs subordonnés et pleurent en silence, le soir dans leur lit, quand leur mari ronfle en leur tournant le dos. De celles qui détestent les femmes rondes et heureuses, comme Louise. Elle ne sait pas sur qui elle est tombée.

« Vous voulez que je vous dise pourquoi je n'ai pas eu le temps de chercher une place et pourquoi il fallait absolument que j'aille à la poste ? réplique alors Louise d'une voix froide, métallique, s'avançant vers la femme, le visage décomposé. Vous voulez le savoir ? Oui ? Parce que ma sœur est morte ! Je l'ai appris il y a une heure et je viens d'envoyer un télégramme à mes parents, qui souffrent par ailleurs tous les deux d'un cancer, de la thyroïde pour l'une et de la prostate pour l'autre. Voilà, vous êtes contente maintenant ? Je vous ai fait perdre dix minutes, mais moi ma sœur est morte ! Elle avait 31 ans et elle était enceinte de huit mois. Un détraqué est entré chez elle et il l'a débitée à la hache. »

La femme reste sans voix. Elle se demande forcément si Louise n'est pas une de ces nombreuses mythomanes qui errent dans la capitale mais, dans le doute, elle est bien obligée de battre en retraite. Je l'entends bredouiller des mots qui ressemblent vaguement à des excuses et s'étranglent dans sa gorge. Louise n'a plus un regard pour elle. Elle a grandi de plusieurs centimètres, plane au-dessus de nous. Elle s'installe derrière son volant. Je n'ai pas d'autre choix que de prendre place à côté d'elle sur le siège passager, même si j'habite à deux rues. Je ne peux pas la laisser maintenant. Elle démarre et cale aussitôt. L'émotion. Elle a les mains qui tremblent, je vois bien qu'elle éprouve des sentiments contrastés et que c'est désagréable. Je garde le silence. Je la connais assez pour deviner qu'elle s'en veut de s'être abaissée à répondre à cette femme, à tenter de se justifier auprès d'elle. Elles ne sont pas du même monde. Elle aurait dû l'ignorer, elle, son opinion, sa petite colère, lui adresser un large sourire et même lui souhaiter une excellente journée. L'autre, ça l'aurait mise hors d'elle. Au lieu de quoi, elle a voulu la culpabiliser, l'obliger à se ratatiner par terre, parce que quelque chose dans l'hostilité de cette femme l'avait atteinte dans sa chair même. Louise est trop entière. C'est une des raisons pour lesquelles je l'aime beaucoup.

Maintenant, c'est évident, elle se sent un peu honteuse. Elle est allée tellement loin, elle ne voudrait pas que ça lui porte malheur, par superstition. Était-il vraiment nécessaire de mêler sa sœur à cela ? Louise n'a pas l'habitude de parler de sa famille à des inconnus, c'est une question d'éducation, de milieu, elle ne se mélange pas. Mais la femme l'avait cherchée, elle s'était montrée intolérante, étroite d'esprit, sectaire. Le problème des quartiers parvenus. Elle allait passer une sale après-midi.

« Bien fait pour elle », juge finalement Louise en sortant du parking. D'ailleurs elle ne regrette rien, il faut toujours dire ce qu'on pense, ne rien garder à l'intérieur. Ce n'est pas sa sœur qui lui en voudra.

« Je te dépose ? »

De toute façon, elle n'a jamais eu de sœur.

L'Actrice, acte II

Une autre fois en voiture, un souvenir assez mémorable... C'était un matin, tôt, avec mon amie l'Actrice qui m'avait proposé de l'accompagner à un enregistrement.

« Regarde-moi celle-là avec sa marmaille et son gros cul ! Encore une de ces pondeuses qui oublient que la pilule ça existe et viennent nous emmerder sur les passages cloutés avec leur poussette et leur porte-bébé, leurs gosses à l'air hébété, la morve au nez, plus laids les uns que les autres, aussi repoussants que leur mère... Je t'écraserais bien tout ça moi, quand on est aussi moche, la moindre des choses, la vraie délicatesse, c'est de ne pas se reproduire.

Allez vas-y cocotte ! Avance ta graisse un peu plus vite, il y en a qui bossent ! Il y en a qui paient des impôts et n'ont jamais touché les allocations familiales ! Je préviens, dans cinq secondes je colle le pied au plancher et tant pis s'il y a un doudou qui tombe sur les zébras... Et le vieux, qui avance comme une tortue avec ses guiboles tremblotantes ! Mais qu'est-ce que tu fabriques dans la rue à 8 h 20, pépère !... C'est vrai, ils nous pompent l'air tous ces piétons qui veulent toujours traverser comme si c'était plus intéressant sur le trottoir d'en face, et se croient tout permis sous prétexte qu'ils ont une canne ou des mômes, et prennent des grands airs et vous insultent, le comble, si vous ne leur cédez pas le passage ! C'est l'écueil de la démocratie, on ne respecte plus la hiérarchie. C'est la faute aux forums de discussion, tout le monde a un avis sur tout et pense qu'il est capital de le divulguer. Peuvent pas sortir plus tard dans la journée, pour ne pas gêner la circulation, tous ces inutiles ? Ben non. Doivent aller acheter leur journal ou emmener leurs gosses à l'école pour qu'ils apprennent l'insolence, l'inégalité et la cruauté, c'est obligatoire, laïque et gratuit, c'est la loi, et c'est forcément l'heure à laquelle tout le monde part au boulot. C'est comme les chômeurs ou les retraités qui font leurs courses au supermarché le samedi exprès pour emmerder les actifs, ça devrait être interdit. Si j'arrive en retard au studio et que je dis que c'est à cause de tous les vioques, les mères porteuses et les chiassards que je n'ai pas écrabouillés, on va me prendre pour un monstre... Relax, ma grande, fume une tige et pense à la bouche de Jean-Do quand il a dit hier *Cet amour est ardent, il le faut confesser.* »

Elle se parle à elle-même, a oublié ma présence. Elle attrape une cigarette à moitié sortie du paquet ouvert, judicieusement placée près du levier de vitesse, prête à l'emploi, la cale sur le côté droit de ses lèvres, l'allume avec un des nombreux briquets qu'elle garde en réserve dans la boîte à gants. Car l'Actrice passe son temps à perdre ses briquets, et il y a belle lurette que l'allume-cigare ne fonctionne plus. Mais au contrôle technique « ils s'en tamponnent le coquillard », comme elle dit, de toute façon depuis qu'elle s'est mise à fumer elle a toujours détesté allumer ses clopes avec ça. C'est dense ce matin, pire que d'habitude. Il doit y avoir des travaux quelque part, une manif qui se prépare ou la visite d'un chef d'État étranger, « il y a toujours quelque chose dans cette putain de ville ». Bien sûr elle pourrait prendre le métro. Il y a dix stations entre chez elle et la Bibliothèque nationale de France où elle travaille actuellement, avec un seul changement. Franchement ce n'est pas la mer à boire comparé à ce qu'endure la majorité des Franciliens. Elle a parfaitement conscience qu'elle mettrait beaucoup moins de temps en métro au lieu de perdre au minimum deux heures par jour aller retour dans les embouteillages, sans compter que ce serait plus écologique. Mais l'Actrice, les transports en commun elle a toujours détesté, les taxis elle n'a plus les moyens, l'Autolib elle n'est pas sûre de comprendre comment ça marche, et la couche d'ozone, la vérité c'est qu'elle s'en fout. Alors au moment même où il était question de restreindre la circulation dans Paris, elle s'est acheté une voiture, sur eBay.

« Et allez, un car entier de Japonais maintenant, manquait plus que ça, vont mettre au moins dix minutes pour descendre de leur engin et bloquer sans scrupule la circulation ! Les touristes, c'est comme les autres, faudrait qu'ils aient un droit de visite seulement à certaines heures et à certaines périodes de l'année. Le vrai problème de Paris, c'est l'OR-GA-NI-SATION. Quand tout le monde veut faire la même chose au même moment, ça s'appelle le foutoir, et ça commence à me les briser sérieux, évidemment c'est une façon de parler. Mais entre les couloirs de bus, les taxis et maintenant les Vélibs, comment veux-tu qu'on s'en sorte... Les cyclistes ! Qui peut avoir du plaisir à rouler au milieu des pots d'échappement et des poids lourds ? Encore une de ces idées parfaitement crétines conçues pour plaire à la masse, merci les humanistes ! Ma fille, la chance que tu as c'est la maîtrise parfaite de ta respiration, échauffe un peu tes maxillaires, braille quelques vocalises et pense à l'acte IV, *Oui, je l'ai vu, Madame, Et j'ai peint à ses yeux le trouble de votre âme. J'ai vu couler...* Jean-Do sera là aujourd'hui, scènes III, VI et VIII. Jean-Do, c'est la distinction absolue, l'élégance à l'ancienne, en deux mots tout est dit, *Ô ciel ! que je crains ce combat !* Les jeunes aujourd'hui ont perdu la délicatesse. On a des Titus avec le charisme d'un dépliant publicitaire et des Bérénice dans la plénitude de la vulgarité, aucune émotion, la bêtise dans les fricatives et le néant dans les palatales. Mon pauvre Jean-Do ! Nous, c'était une autre époque. Des cours de diction, on s'en est farci un paquet, *J'ai vu couler des pleurs qu'il voulait retenir...* Non mais je rêve, foutriquet, tu démarres ou quoi ? Ça fait cinq secondes que le feu est passé au vert, t'as l'intention de passer ta journée ici ? »

Elle pourrait prétendre que c'est par amour du volant, qu'elle ne manque jamais le Salon de l'auto et est incollable sur les derniers modèles débarqués sur le marché, qu'elle adore conduire, embrayer, passer des vitesses, rouler, doubler, faire des démarrages en côte et même des créneaux à gauche, que les vibrations la grisent et la structurent, l'odeur des revêtements en cuir et les clignotements du tableau de bord, qu'une fois harnachée dans sa ceinture de sécurité, au moment où elle enclenche le contact et entend le bruit de son moteur après avoir jeté un œil expert dans les rétroviseurs, elle ressent une inexplicable et jouissive sensation de puissance. Elle pourrait sous-entendre que le rapport qu'elle entretient avec son véhicule est presque de nature sexuelle. Ce serait faux. L'Actrice n'éprouve absolument pas ça et, par ailleurs, elle n'y connaît rien. Les voitures, pour elle, c'est surtout une question de couleur et de taille. Elle a acheté la sienne d'occasion, petite et jaune, un jaune canari bien pétant genre *Titi et Grosminet*, c'est à peu près tout ce qu'elle lui reconnaît comme qualités. Et aussi qu'elle est passablement vieille car aujourd'hui on ne propose plus ce genre de teinte. Aujourd'hui fini la fantaisie, on est grise, noire, blanche ou beige quand on est une voiture, on est quasi silencieuse et on reçoit des bons points de la part des assureurs si on sait bien se tenir. La petite jaune de l'Actrice produit des bruits qui ne sont pas sans rappeler ceux des mobylettes dont les adolescents perçaient les pots d'échappement pour impressionner les filles quand elle était jeune, avec de petits nuages de fumée sombre fort gracieux. Et à cause de son taux de CO_2 plus élevé que la moyenne, il lui faut acquitter chaque année le paiement d'une taxe de 160 € sur la détention de VP polluants.

« Pas une ville au monde ne possède autant de sens uniques que Paris, j'en mets ma main au feu. Quelle est la bande de débiles qui a pondu un plan d'urbanisme pareil ? Je te les enverrais tous au peloton d'exécution moi ! On se croirait dans un jeu de l'oie où il faut obligatoirement suivre la flèche blanche en évitant comme on peut les pièges. Case 6 : voies sur berges réservées aux promeneurs, dommage. Case 19 : déviation pour amélioration du réseau électrique, pas de bol. Case 31 : zone prioritaire riverains, essaie encore. Case 42 : arrivée du Tour de France, pleure ta mère. Case 52 : grève intempestive des taxis, bordel intégral. Case 58 : retourne à la case départ ou va te pendre, et après on prétend que les Parisiens conduisent n'importe comment, non mais j'y crois pas l'autre sur son scooter, il m'a presque arraché un rétro, va péter dans les fleurs comme on dit au Québec ! (L'Actrice a beaucoup joué là-bas à une époque.) Je hais les scooters et tous les deux roues. Je ne sais plus qui a dit il y a longtemps *je me demande à quoi ressembleront les grandes cités du XXIe siècle grâce à la technologie automobile*, j'espère pour lui qu'il est mort avant d'avoir vu tous ces cons en trottinette... Ma chérie, travaille ton diaphragme, souviens-toi du stage gestion du stress par le son et les couleurs, et grille-t'en une petite dernière avant d'avoir à trouver une place, l'enregistrement commence dans vingt minutes, tu as encore le temps et tant mieux si tu empestes le tabac, ça va emmerder l'ingé son. *Mais voulez-vous paraître en ce désordre extrême ? Remettez-vous, Madame, et rentrez en vous-même...* »

Dans quelque temps, si son cachet le lui permet, l'Actrice changera de voiture, certes pas pour des raisons citoyennes responsables mais juste pour varier les plaisirs, comme on renouvelle un accessoire alors qu'il n'est même pas usé, ce que les hommes ne peuvent pas comprendre et ont parfois l'indécence de trouver injustifié. D'ailleurs la prochaine fois, c'est décidé, elle prendra une automatique, elle n'aura pas à appuyer sur une pédale pour démarrer ou pour freiner, comme aux auto-tamponneuses, c'est dire à quel point les émotions du pilotage lui passent au-dessus de la tête. Une voiture de mémé pour avoir la paix et ne pas passer son temps à rétrograder en seconde, voire en première, à cause des bouchons, la main en permanence sur le levier de vitesse. Le problème, c'est que la petite jaune à essence sans pot catalytique, plus toute jeune et super polluante, invariablement condamnée à l'écotaxe et au malus, s'évertue à démarrer chaque matin au quart de tour, en pétaradant et sans sourciller, même l'hiver, après avoir passé la nuit dehors et parfois sous la neige.

Nous voilà arrivées au pied des tours du site de Tolbiac. Le défi, maintenant, c'est de se garer. L'Actrice déteste copieusement ces quartiers anciennement pourris et réhabilités bon chic bon genre et, d'une manière générale, l'architecture des monuments dits culturels de la période Mitterrand, avec cette prédilection irrationnelle et suspecte pour le verre, façon *Star Wars*. Mais elle ne va pas cracher dans la soupe. Depuis que la BNF a décidé de constituer une version audio des grandes œuvres dramatiques de tout son catalogue, elle a retrouvé du travail et Jean-Do par la même occasion, qu'elle n'avait pas revu depuis vingt ans et dont elle était vaguement amoureuse à l'époque où ils jouaient ensemble, où elle était Phèdre et lui Hippolyte, Juliette et Roméo... Un travail stable, sécurisé et à long terme : une aubaine à son âge. Les propositions se sont raréfiées. On l'appelle encore pour « des publicités de vioques », et l'année dernière pour un dessin animé américain où elle doublait une grosse hippopotame. Aussi, quand elle a su que la BNF cherchait des voix pour enregistrer les pièces du répertoire, elle a immédiatement postulé. Elle avait tout joué, connaissait les œuvres par cœur, mais elle a dû quand même faire un essai. Elle a été prise. On commence par Racine, l'intégrale, ils lui ont dit. Ils allaient à toute vitesse. En un mois ils avaient déjà enregistré *Athalie*, *Esther* et *Bajazet*. Aucun respect de la chronologie, ils ne faisaient pas les choses dans l'ordre. C'est le problème avec ces nouvelles générations, « ces jeans à trous », a pensé l'Actrice, même si elle s'est gardée de l'exprimer. Ils en étaient à *Bérénice*.

Il est formellement interdit de faire demi-tour pour s'engager dans la contre-allée sur le quai François-Mauriac, mais c'est son petit plaisir, à l'Actrice, tous les matins, de braver ce panneau-là et de mordre allègrement sur le trottoir en faisant crisser ses pneus, sous l'œil effaré des autres automobilistes. Si Jean-Do la voyait... mais Jean-Do aime arriver très en avance, il a gardé cette habitude du temps où ils étaient sur scène, pour de vrai, devant un public, où la concentration requise était extrême, où ils se prenaient très au sérieux et habitaient leurs personnages de longues heures avant que s'allume la lumière rouge, où ils avaient une discipline de fer, travaillaient leur voix comme des chanteurs d'opéra. Où elle ne fumait pas. Où ils avaient les premiers rôles. Jean-Do perpétue le rituel même pour quelques répliques, et même s'ils sont désormais devenus les confidents des héros qu'ils étaient, dans un studio d'enregistrement. Même si ce n'est plus Titus qu'il joue, mais Paulin, et l'Actrice Phénice.

Elle débarque à la dernière minute et préfère s'échauffer dans sa voiture, *Laissez-moi relever ces voiles détachés, Et ces cheveux épars dont vos yeux sont cachés*, en adressant un dernier doigt d'honneur à quelqu'un qui passe là, au hasard, pour l'exemple. « Couillon, face de raie !... » Sa voiture, à l'Actrice, c'est un peu la loge qu'elle n'a plus.

Caroline, acte III

Elle a pris l'affaire très au sérieux et commencé la préparation un an à l'avance. Au départ, elle a tenté de garder la tête froide, une certaine distance, de minimiser l'évènement, par fausse modestie. Elle avait fini par maîtriser les codes, et maintenant qu'elle était devenue plus Parisienne que nous toutes, elle ne voulait pas céder aux caprices d'une mode qui venait de l'étranger et arrivait tout juste dans la capitale, ne pas, surtout pas, se ruer dessus comme une crève-la-faim. Pourtant, très vite, l'excitation a pris le dessus et, je l'ai bien vu, elle n'a plus pensé qu'à ça. Régime protéiné, séances de Pilates, coaching à domicile, elle voulait être irréprochable le jour J, celui qu'on présente généralement comme le plus beau de sa vie. Elle s'est mise à fréquenter des salons consacrés exclusivement au sujet, à lire des suppléments, des dossiers spéciaux. Elle a consulté des conseillers, s'est offert un stage de *relooking*, s'est inscrite à des forums de discussion. L'information ne manquait pas, elle en a eu le tournis.

Elle a décidé désormais qu'on devrait l'appeler Carolina.

La première question à régler, avant même celle des invités, c'était le lieu de réception. Il s'agissait de ne pas commettre d'impair. Classique ou tendance ? Ville ou campagne ? *Trendy*, *flashy*, *preppy* ? Carolina aurait volontiers opté pour un choix insolite, dans le genre péniche ou navette spatiale, mais l'indigeste documentation qu'elle a parcourue pendant des soirées entières l'ayant avertie sur les nombreux écueils à éviter (phobies possibles de certains hôtes, mise en danger de la sécurité d'autrui et risques de procès consécutifs, à l'américaine), il lui a semblé plus prudent de se replier sur un modèle plus consensuel et qui a déjà fait ses preuves : l'orangerie d'un petit château sans prétention, le réfectoire d'une abbaye désaffectée, l'ancien dortoir d'un internat. Il y avait l'embarras du choix.

Elle a fini par se découvrir une soudaine passion pour les vieux manoirs XVIIIe et, à un moment, a été à deux doigts de signer avec une agence qui lui en avait trouvé un à deux heures au nord-ouest de Paris. Mais je lui ai opportunément rappelé qu'ils sont en général sous-équipés d'un point de vue électroménager, ce qui peut constituer un véritable emmerdement au moment de la vaisselle. « Car si les sentiments sont une chose, l'aspect pratique en est une autre », ai-je ajouté. « As-tu vraiment pensé à tout ? Parking, toilettes, chaises bébé, musique, jeux pour les enfants, décoration, conditions météorologiques, allergies éventuelles, interdictions religieuses, alimentaires ? Sans oublier les cendriers extérieurs, puisqu'il est désormais illégal de fumer à l'intérieur des bâtiments ? Surtout si tout se passe à la campagne et qu'on n'est jamais à l'abri d'un mégot qui traîne. » Il fallait également éviter les vieux parquets lézardés pour les talons des femmes, prévoir une boîte à pharmacie complète, des extincteurs dans chaque pièce, le numéro des gîtes ruraux du coin, de la compagnie de taxis locale et celui de l'hôpital le plus proche. Quoi qu'il en soit les pompiers seraient tenus d'effectuer une visite de contrôle préalable pour valider les normes de sécurité.

Ce n'était pas une sinécure, et je l'ai beaucoup aidée, par solidarité féminine. Car une fois déniché l'endroit, encore fallait-il qu'il soit disponible. Les gens sont très organisés et réservent longtemps à l'avance. Certains mois sont très courus, d'autres pas du tout. « Décembre, c'est bien, Carolina. Il ne se passe rien. Tout le monde déprime à cause de Noël, de l'obligation de supporter sa famille qui débarque de province pour le réveillon. » En revanche, adieu le manoir du XVIIIe, impossible à chauffer, sans parler des routes d'accès, de la boue. « Tu as raison, la campagne l'hiver, c'est le meilleur moyen pour perdre ses dernières amies », a estimé Carolina.

En parlant d'amies, certaines ont étrangement réagi la première fois qu'elle leur a soumis son projet. Il y en a même une, plus âgée qu'elle, qui ne lui parle plus, m'a-t-elle raconté. Carolina se demande si l'autre n'est pas un peu réactionnaire, si elle est informée que c'est désormais monnaie courante à New York et à Londres. Ou alors c'est juste par jalousie, à cause de la robe qu'elle s'est choisie, de sa liste d'invités, ou parce qu'en son temps ce genre de choses ne se faisait pas.

Tant pis pour les ringards. Carolina a décidé de faire les choses en grand. Elle aimerait que je prononce un petit discours pour l'occasion. Je ne peux pas y couper, c'est toujours à moi qu'on s'adresse pour les mariages, les baptêmes, les bar-mitsvas, les enterrements. J'ai l'habitude, à cause de ma profession. Le seul élément sur lequel elle hésite encore, c'est la formule du carton. Mais elle a encore quelques semaines devant elle et se laisse le luxe de la réflexion :

« A le plaisir de vous inviter à célébrer son divorce »

« Vous convie à sa fête de divorce »

« Vous fait-part de son divorce et vous invite à le partager »

« Divorce et venez nombreux ! »

En anglais, c'est bien aussi :

« You are invited to my divorce party ! »

« Happily divorced. Dinner / Party / Event. In honor of who do you know »

« Welcome to a fabulous divorce party »

« Free like a bird ».

Ou encore : « Just divorced ! »

Pas simple. Mais *so chic*.

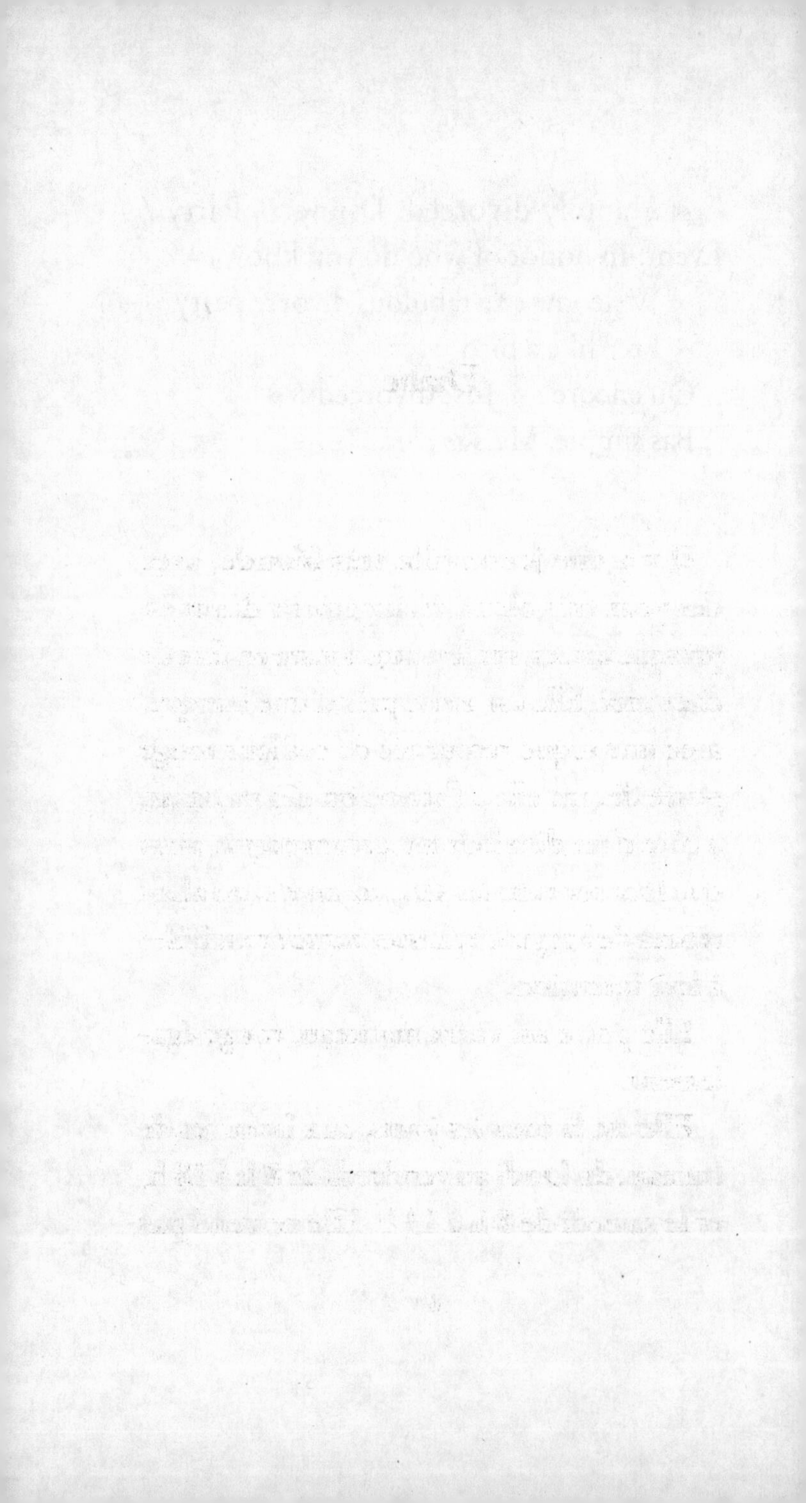

Diane

Il y a une jeune fille très blonde, avec des yeux très bleus, étrangement dessinés, presque bridés, sur le trottoir juste en face de chez moi. Elle est assise près d'une banque, avec une toque retournée de couleur rouge posée devant elle à l'attention des passants, à côté d'un distributeur automatique, ainsi que font souvent les SDF, comme si on allait retirer de l'argent et laisser tomber un billet à leur intention.

Elle porte un vieux manteau, rouge également.

Elle est là tous les jours, aux horaires de bureau, du lundi au vendredi de 8 h à 18 h, et le samedi de 8 h à 13 h. Elle ne vend pas de journal, ne lit pas, ne téléphone pas, ne mange pas. Pendant tout ce temps, elle reste immobile sans rien faire, et seule la pluie, lorsqu'elle est drue et continue, peut la déloger. J'ai déplacé mon bureau afin de ne plus l'avoir constamment sous les yeux. Mais les jours se succèdent et la fille au manteau rouge est toujours là, sur ce bout de trottoir où je passe sans cesse d'un pas toujours pressé. Parfois elle me regarde et me sourit, parfois ses yeux sont baissés, dans le vide.

Elle est déjà assise le matin quand j'ouvre mes volets. J'imagine qu'elle a dû repousser du bout du pied un chewing-gum, un mouchoir en papier froissé, un reçu bancaire déchiré, débarrassé du mieux qu'elle a pu son petit territoire des restes de la nuit, des traces des heures où elle n'est pas là et où la ville reprend ses droits, avec ses merdes de chien, les vieilles et les fraîches, celles qui n'ont pas encore séché, durci, et sont plus difficiles à faire rouler. Même s'il y en a rarement. Dans cette partie de Paris, les gens sont bien élevés et portent toujours sur eux une petite bourse pour les déjections canines. La fille a un sac avec elle, une sorte de cabas déformé qui contient tout son monde et ne la quitte jamais, posé à côté d'elle sur la pierre froide et dure de la capitale de la France. De plus en plus dure, je suppose, au fur et à mesure que passent les heures, quand on a le cul dessus.

Un jour, je me suis accroupie à côté d'elle et lui ai demandé si elle parlait français. Son visage a paru s'éveiller, elle a hoché la tête avec une belle énergie et m'a souri franchement. De près, elle est moins jeune qu'elle ne le paraît. Ses traits curieux sont striés de petites rides, sa peau un peu craquelée, avec des taches par endroits. La rue imprime sa marque indélébile. C'est la chute qui vieillit. Je ne sais pas depuis quand ni comment la fille est tombée, quel enchaînement fatal l'a conduite jusqu'à ce coin de Pigalle. Ses mains, dont elle entoure ses genoux, sont larges et rugueuses. J'ôte mes gants et pose dessus mes petits doigts blancs pleins de bagues. « Je m'appelle Anne, j'aimerais parler avec vous. Vous voulez bien parler avec moi ? »

La fille dit oui, ses yeux pétillent de joie, son sourire est immense. Elle hoche la tête avec vigueur. Son français se réduit à quelques mots, elle a un fort accent étranger, peut-être russe, avec les « r » roulés. Elle dit : « Moi Diane. » Elle répète : « Diane, Diane. »

C'est comme ça que ça a commencé entre nous. J'ai pris l'habitude de m'arrêter tous les jours près d'elle, de bavarder un moment, de lui apporter un café, de lui donner des vêtements dont je ne me sers plus, des échantillons de parfum. « Vous êtes bonne, madame, Dieu vous bénisse », dit Diane chaque fois.

Elle parle un français minimal, enjoué et volontaire, ses gestes, ses mimiques complètent les blancs dans ses phrases. C'est une fille pleine d'entrain et de désir de perfection. Elle reprend les mots sur lesquels elle bute, attend que j'acquiesce à ses paroles ou que je les corrige. Son enthousiasme et son désir de communiquer provoquent régulièrement une sorte d'embouteillage sur ses lèvres, où viennent rapidement se mêler des tournures en espagnol, comme je le remarque avec stupéfaction. L'espagnol est bien la dernière langue dans laquelle j'aurais imaginé que cette fille blonde aux yeux bridés s'exprimerait, et où elle semble pourtant plus à son aise qu'en français. « C'est à cause de la télé. Chez moi je regardais des feuilletons, des *telenovelas* mexicaines. C'est comme ça que j'ai appris. »

Elle dit qu'elle vient de Moldavie. Elle a 26 ans et un garçon de 6 ans, resté avec ses parents dans son pays où elle compte retourner au printemps. Diane est venue passer l'hiver en France. Tous les ans elle vient passer l'hiver à Paris. Chez elle la neige recouvre la terre de plusieurs dizaines de centimètres et, pendant des mois, il n'y a pas de travail. Elle est loin d'être paresseuse. Si je la voyais l'été dans les champs ! C'est qu'elle en abat à la journée et n'a rien à envier à personne, mais l'hiver il est impossible de travailler dehors. Elle a essayé d'être serveuse dans un bar, le problème c'est que chez elle les hommes boivent et deviennent brutaux, elle avait sans arrêt des problèmes. « Les hommes dans mon pays ne sont pas comme chez toi », me dit-elle, et elle s'excuse, toute rouge, de m'avoir tutoyée à cause de l'espagnol où c'est tellement plus naturel, plus immédiat. Je pose ma main sur la sienne. « On peut se dire *tu* bien sûr... »

Mais Diane ne veut pas, secoue la tête avec vigueur. « Vous êtes une vraie madame vous, vous êtes si belle, vous sentez si bon, alors que moi... »

Diane est intarissable. Elle est arrivée à Paris avec le père de son fils qui l'a abandonnée au bout de quelques jours, a disparu dans la nature. Elle secoue ses cheveux. Depuis, elle dort dans un foyer réservé uniquement aux femmes, et ouvert à partir de 19 h le soir jusqu'à 8 h le matin. Il y a une bonne ambiance, les filles partagent entre elles leur repas du soir, s'entraident, la plupart sont françaises. Diane dort dans un vrai lit. « C'est par là », signale-t-elle sans plus de précisions. En fin d'après-midi, après plusieurs heures passées sur le trottoir, elle aime se réfugier dans une église en attendant l'ouverture du foyer. Elle a ses repères ici, l'année passée elle est déjà venue. Elle a même fait le ménage chez une vieille dame, mais sa fille l'a mise dehors un jour sous prétexte qu'elle ne voulait pas avoir de problèmes. Diane a compris qu'elle n'avait pas d'autre choix que la rue française où passer l'hiver et attendre le dégel pour rentrer en Moldavie.

Les passants déposent leur obole dans la toque retournée. Un livreur glisse à Diane un plateau de sushis, deux jeunes gars à Vespa lui lancent une pièce de loin, une femme lui apporte un sac plein de paquets de gâteaux. Diane a ses partisans. Je comprends pourquoi elle trouve les gens gentils en France, dans son pays on lui cracherait dessus, on lui jetterait des pierres, on lui ordonnerait d'aller mendier ailleurs. En Moldavie, son fils ne va pas à l'école parce qu'elle n'a pas d'argent pour lui acheter des fournitures scolaires et des habits convenables, et que les autres enfants se moquent de lui. Là-bas, ils vivent tous ensemble chez ses parents. Le père de son fils aussi vivait avec eux, avant qu'il la quitte. « *Mi esposo* », dit

Diane, bien qu'ils ne soient pas mariés, et je ne réussis pas à connaître son prénom. L'autre jour, il est venu la trouver au foyer. Il a fait profil bas et a proposé de revenir avec elle, mais Diane n'a pas voulu, elle a sa fierté. Elle a trop souffert. « Il ne t'a pas frappée ? » « Non, madame, non, jamais, mais j'aurais préféré qu'il me frappe, un bon coup et c'était fini, parce que le mal qu'il m'a fait, c'est pire et ça dure longtemps, toujours. Je ne sais pas si un jour je lui pardonnerai. Mes parents ne voulaient pas que je sorte avec lui, mais... J'ai honte madame, qu'allez-vous penser... Je suis tombée amoureuse. »

Elle baisse la tête. C'est son premier, son seul amour. L'enfant est né. Une bouche de plus à nourrir. Diane, l'hiver, lui cède sa place. Le petit reste avec ses parents. Pendant des mois elle se débrouille pour manger de son côté. Diane en Moldavie est encore plus pauvre qu'ici.

Dès qu'elle me voit arriver, son visage se métamorphose. La prostration s'évanouit et la jeune fille blonde paraît s'éclairer de l'intérieur. Diane aime parler, dans son mélange d'espagnol de série télé et de français fragile. Ses grands yeux bleus ne me lâchent pas, elle donne des coups de tête en avant pour ponctuer ses phrases. Jour après jour, elle m'a tout raconté sans que j'aie beaucoup eu besoin de l'interroger. J'ai appris sur elle, ses parents, sa sœur de quatorze ans son aînée, mariée à un homme « riche » et qui depuis ne veut plus entendre parler de sa famille, vit dans le même village mais tourne la tête quand elle passe devant sa maison natale, a raconté à ses enfants qu'ils n'avaient pas de grands-parents. « Et ma mère, elle en est presque morte de chagrin, dit Diane les larmes aux yeux. Parce que c'est sa fille, elle l'a élevée, elle a travaillé aux champs, très dur, pour elle. Ma sœur, elle a changé à cause de son mari mais surtout à cause de l'argent, car c'est l'argent qui change les gens, vous ne pensez pas madame ? »

Diane est très croyante et n'est jamais montée dans un avion, l'idée même la terrifie. Dès qu'elle en voit passer un au-dessus des toits de Paris, elle se recroqueville, comme une enfant devant son premier feu d'artifice, et se signe. Elle est coquette. Parfois elle a un vernis foncé, entre le rouille et le marron, sur les ongles. J'ai remarqué un matin une couche de mascara sur ses cils, un peu de brillant sur ses lèvres et de petites boucles dorées à ses oreilles. Elle prend soin de ses longs cheveux blond pâle, change régulièrement de vêtements. Je lui ai proposé de laver ses habits de rechange mais elle a refusé, m'a dit que ce n'était pas la peine. Je n'ai pas compris s'il y avait un lave-linge au foyer.

Un matin, elle n'est plus là, les jours suivants non plus.

C'est déjà décembre, la foule se presse vers les grands magasins, claque des talons, retire de l'argent au distributeur automatique. À l'emplacement habituel de la jeune blonde au manteau rouge, il y a comme un trou. Je suis allée faire un tour dans les rues voisines sans trop d'espoir, réalisant que je regardais uniquement par terre et que si je croisais la fille debout je ne la reconnaîtrais peut-être pas. A-t-elle été embarquée pour un contrôle d'identité ? Ou bien est-elle malade ? Il fait plus froid depuis deux jours, jusqu'ici l'hiver avait été plutôt clément. Mais c'est justement quand les températures commencent à baisser de manière drastique que mendier prend tout son sens. La solidarité se déploie davantage, la compassion et l'émotion éclairent brusquement, et comme des projecteurs, les SDF jusque-là tapis dans l'ombre. Le passant congelé dans sa doudoune fourrée s'indigne, se culpabilise, donne la pièce, échange trois mots, offre un café chaud, quelquefois une couverture. C'est beau à voir, l'individualisme se fendille lorsque le thermomètre passe en dessous de zéro. On embrasse son prochain comme à l'église quand le prêtre demande un signe de paix en direction de son voisin. Ce généreux élan ne dure que quelques jours. On s'habitue au froid plus vite qu'à l'abnégation. Les personnes qui vivent dans la rue le savent. Il est donc important pour elles d'être présentes à ce moment précis, de se trouver en bonne position dès la première heure, sans gants ni bonnet, sur la pierre glacée.

C'est la première fois que Diane déserte sa place aussi longuement. Au cours des dernières semaines, il lui est parfois arrivé de s'absenter, mais on la retrouvait dès le lendemain, fidèle au poste, avec son attitude et son regard de toujours. Cette donnée constitue d'ailleurs le point le plus troublant au sujet de Diane : c'est son absence qu'on remarque. Je ne suis pas la seule.

Dans le quartier on s'est habitué à elle. Sa disparition crée un déséquilibre optique et perturbe la marche d'une journée ordinaire avec les mêmes personnes croisées au même endroit à quelques mètres près, les mêmes enseignes, les mêmes camions de livraison, les mêmes gardiens d'immeuble qui rentrent les poubelles. La même jeune fille très blonde aux yeux très clairs et au vieux manteau rouge.

Juste un peu avant Noël, un matin elle est là de nouveau. Avec son manteau rouge usé et ses cheveux d'un blond irréel, si pâle qu'il transperce la grisaille de cette aube parisienne glaciale. C'est elle, avec sa tête inclinée, son regard fixant un point déterminé du trottoir comme s'il sondait le béton martelé de chewing-gums fossilisés, dans une méditation contemplative d'un genre nouveau et terriblement urbain. « Bonjour Diane. Alors tu es revenue. »

Elle relève la tête. Son visage se ranime, souriant, ses yeux s'éparpillent de tous côtés. Je sais qu'il ne faut ni la brusquer ni lui demander de comptes. Elle ne me doit rien, pourtant elle se lance dans une explication aussi rapide qu'embrouillée, où le mot « police » revient plusieurs fois.

Je vais lui chercher un double café avec du sucre, un croissant au beurre et retourne près d'elle dans le froid rigoureux. J'ai une capuche, une écharpe, des gants. Pas elle. Elle ne supporte pas les bonnets, m'explique-t-elle en riant, parce qu'ils lui grattent la tête.

Nos habitudes reprennent. Je lui achète des gants en polaire. Je prends la plus grande taille que je trouve en modèle féminin parce qu'il me semble que ses mains font le double des miennes. Ils sont trop petits quand même. Diane s'excuse avec un pauvre sourire. Elle me demande des journaux, des livres, elle voudrait essayer de lire en français. Je lui apporte des magazines féminins que j'ai déjà lus. Au bout d'un temps il faut bien partir, j'invoque du travail, des obligations. Je ne suis jamais très à l'aise au moment où je me relève pour rentrer bien au chaud dans mon appartement juste en face et la laisse dans le vent glacé où elle va rester des heures encore avant l'ouverture du foyer à feuilleter les pages mode du dernier *Marie Claire*. Mais c'est elle qui s'inquiète pour moi. « Tu as l'air fatiguée, elle me dit. Tu as maigri, non ? » Elle a fini par accepter de me tutoyer.

L'après-midi, la température s'est légèrement radoucie. Des flocons tombent par intermittence sur la ville grise, maquillée de décorations à outrance. Diane tient bon. Elle est là, avec son manteau rouge et ses cheveux dorés, au milieu des passants pressés encombrés de paquets, avec sa toque retournée qui contient quelques pièces. Je lui dis que je vais m'absenter pendant les Fêtes, quelques jours seulement, après je serai de retour. Je ne lui parle pas de la grande maison de campagne où l'on va boire et manger pendant une semaine avec Frédéric, les enfants, des amis. « Anne, tu es si bonne, *te quiero mucho*, je t'aime beaucoup. »

Je pars vite, sans me retourner.

Table des matières

Table des matières

Composition
NORD COMPO

Achevé d'imprimer en Espagne (Barcelone)
par CPI
le 7 décembre 2014.

Dépôt légal décembre 2014.
EAN 9782290072165
OTP L21EDDN001454N001

ÉDITIONS J'AI LU
87, quai Panhard-et-Levassor, 75013 Paris

Diffusion France et étranger : Flammarion